Biblioteca Era

Carmen Boullosa

■

Llanto

Carmen Boullosa

▪

Llanto

Novelas imposibles

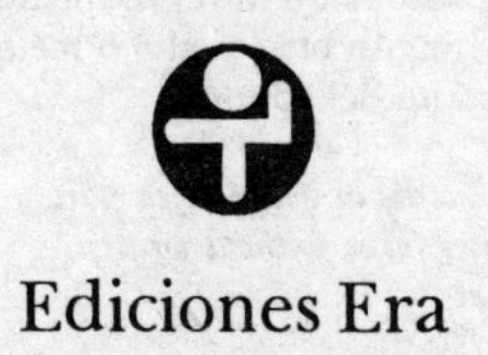

Ediciones Era

Primera edición: 1992
ISBN: 968.411.290.4
DR © 1992, Ediciones Era, S. A. de C. V.
Avena 102, 09810 México, D. F.
Impreso y hecho en México
Printed and made in Mexico

Índice

a Alejandro Aura, como todo, siempre.

¿Qué vale cuanto vee
do nace y do se pone el sol luciente:
lo que el Indio posee...?

Fray Luis de León

I
La aparición

Lo primero que apareció fue el hormiguero. Tras él, persiguiéndolo, por sus galerías, como soplos, las mujeres.

Nadie alcanzó a contarlas. Les llevó más tiempo recorrer los pasillos de arena y tierra que despertar.

Como aire que sube, treparon por los túneles del hormiguero y reventaron en forma de mujer, brotando como botones de carne al final de un tallo de aire.

Brotaron, reventaron, se hicieron, aparecieron. Con igual fuerza, paf, fueron ceniza apenas encarnaron. Para ellas despertar fue desaparecer.

¿Cuántas fueron, cuántas?

Nada hubiera podido contarlas. A ningún ojo le hubiera dado tiempo de hacerlo.

De pronto, tras el quejido de las tripas buscando acomodo en las cajas de piel antes de reventar en nada, en ceniza dispersa, no por los pasillos del hormiguero sino por su espejo en el cielo, con lentitud, vertiginosos, tres trozos de alma y el misterio se precipitaron.

De los demás puntos de la tierra y del cielo despertaron reventando las pequeñas partículas, innumerables: desde la invisible morusa diminuta viajando en las agallas del pez y en el océano, la partícula que era fruta, la que era corteza de árbol, la que era piedra o arena o cielo o estrella o agua o fuego o aire envenenado. Todo se sintió llamado de pronto por el retumbar de lo que caía a través de los conductos del espejo del hormiguero.

Hacia el mismo lugar.

Así se formó, otra vez, sin madre, el cuerpo a que aquello todo se había visto en otros tiempos adherido, el que no había alcanzado a ver caer lo que hacía nueve veces cincuenta y dos años él había dejado desplomándose, y así fue como llegó, el 13 de agosto de 1989, acostado sobre el húmedo pasto, durmiendo, soñando, envuelto en trece mantas bordadas y descansando el peso sobre las plumas de águila y la piel de jaguar que un día recubrieron su asiento, aún creyéndose colibrí aleteando en el azul que antes rodeara los bosques hasta imbricarse en las minucias de las ramas. Así fue como apareció.

Que aparecieran bastó en las mujeres para volverlas arenilla fina, polvo fino, cenicita. A él lo fijó en su forma el llanto. Pero el papel en que él venía recubierto siguió a las mujeres en su camino de regreso hacia ser nada o un poquito de todo.

No sólo el llanto. Por los caminos del hormiguero y su espejo en el cielo, corrían como vientos, como voces, presurosos y mirando, Los Dueños del Mundo: habían despertado.

Eran tantos que sus voces y sus pasos hacían una columna vertebral en los caminos de arena.

Un hueso hacían de las galerías.

Desde esos túneles, detenían al que había aparecido, en su forma hermosa y perfecta, ellos, los dioses, los que hasta ese día muchos creímos muertos.

(Cuando la tierra tira un aire al aire, se tira un pedo, la erupción, y los gases y las cenizas ardiendo del volcán no obligan a responder al cielo. Éste se oscurece porque el pedo lo oscurece, pero en nada cambia. Ni se ruboriza, ni el aire lo hace pensar en alguna otra respuesta. El cielo sólo se queda atento.

En este caso, el tipo, la calidad del pedo, su radiación de carne, y después el ridículo montículo que dejó como testimonio, sacaron una carcajada del cielo, aire también de sus tubos, aire con carne, también.

Él, cuya sustancia arraigó en el llanto, nació entonces de la risa del cielo. Si nacer es eso, retornar.

Si hubo un pedo aquí, ¿quién me garantiza que no andan otros sueltos, otros también escapados de la muerte y de otros tiempos?

Algunos creyeron que su aparición no dejó huella en la superficie de la tierra. Otros, que la huella tenía que ser más visible, más voluminosa, más interesante, que un hormiguero no bastaba para delatar tamaña aparición. Éstos fueron estúpidos, no pensaron en la arquitectura deslumbrante del hormiguero. En cambio, los guardianes del parque tuvieron razón cuando se empecinaron contra él. Cuando aplanaron el pequeño montículo que formara y llenaron sus túneles con veneno, los cuidadores del Parque Hundido hacían bien en temer al hormiguero.

Si importaran los dioses, describiría aquí la calidad y el tamaño de su enojo cuando vieron su refugio invadido por un polvo blanco y venenoso, y después la forma de la que eran hueso reducida a la nada, un trecho más del plano territorio del parque.)

el despertar

Él sintió la cabeza, un cántaro de ruidos, un cántaro lleno de animales furiosos. Sintió la cabeza afuera de él, pesándole, dolor en carne de ruidos, de los ruidos confusos que se lastimaban entre sí, afuera de él, adentro de su cabeza. ¿Por qué no reventaría el cántaro? Cedería el dolor...

Luego vino un silencio, cuando respiró por primera vez, cuando sintió el aire estorboso y raspando, convertido por un fuerte murmurar de flemas en signo de enfermedad.

En cuanto expulsó el aire, las sienes pesadas y necias parecían querer reventar la cabeza para abrazarse, estrellar la cabeza entre ellas como entre dos piedras.

Inspiró por segunda vez: no sólo fueron las flemas, del ombligo hacia arriba su cuerpo parecía romper la cáscara de la piel, hacia afuera y hacia el tubo de aire que insistía con sus flemas caminantes.

Al mover los párpados, un confuso rozar de puntas de flecha lo irritó. Se talló los ojos con ambas manos y el ardor cedió. No la ceguera: parpadeando, abriendo y cerrando los ojos trataba de ver pero todo era confusión. Cerró los ojos, se encerró en su cuerpo.

Se diría que el cuerpo incómodo le está ardiendo, que respirar por primera vez, despertar después de siglos, era estar en aceite hirviendo y soportar adentro de la piel frita un enorme cuerpo enfermo.

Sale él de ahí, sale y vuelve a salir, pegajoso, sale, o empieza a salir arrancado por una estampida de imágenes:

POR UNA ESTAMPIDA DE IMÁGENES

En el estero rodeado de manglares, atenazado de manglares, sobre el agua del río las balsas contienen flotando al cortejo.

Los músicos irrumpen al silencio.

Con enormes abanicos de plumas remueven el aire alrededor de Su Persona alejando a los insectos.

Las raíces y las ramas inmóviles saben ver sus colorados frutos piedrosos, los cangrejos. Se escuchan los monos y un sinfín de aves, que habían guardado silencio para recibirlo, sueltan sus cantos.

Hay los que clavan sus vistas astutas sobre el agua y el lodo para descubrir el coletazo de un caimán, o las serpientes.

Él ve la luz tenue y dudosa que dejan atravesar los árboles. Mira a través del enrejado de ramas y raíces y alzando los ojos da a entender que quiere continuar la marcha.

Los músicos tocan los instrumentos, sintiendo en sus cuerpos el aire vigoroso e inmóvil del manglar.

Los observan los inmensos termiteros.

Una de sus favoritas se inclina y le dice al oído —mientras abanican con mayor intensidad, como si el olor a sándalo de la mujer fuera a atraer más alimañas— las frases de un poema que le regala la emoción del estero estrecho.

Acarició la espalda de Su Persona mientras ella le regala un poema que nadie escuchará además de él:

"—Es para ti, Motecuhzoma. Nadie más debe oírlo. Escuché que me lo gritaban los árboles hartos de una inmovilidad y un encierro que no quieren merecer... Me lo dijeron y yo te lo repito tal cual, escucha..."

Los tallos del bambú peruano: shaz, shaz... Cuando el estero se abrió en el río, dándole la espalda sobre dos balsas alineadas lo esperaban dos grupos de trece desnudos muchachos mostrando la coleta teñida de blanco adornada con dos plumas de garza, ofrendando el cabello que aún no se habían cortado porque aún no habían traído su primer cautivo, pero que pensaban perder en esta guerra. Todos querían traer un prisionero para regalar a su emperador.

el mar, por primera vez

De pronto, arrancado del cielo que apenas se miraba entre las palmeras espesas, un trozo de azul se tendió frente a él, en el piso: ese golpe en la arena era el mar, el mar interminable, a unos pasos. Soltó las sandalias y corrió, corrió hasta tocarlo con los dedos de los pies, con los tobillos, con los muslos... No lo sintió más allá de sus piernas, porque las mujeres que venían a su cuidado lo alcanzaron para llevarlo de los brazos a tierra, como si el mar fuera a arrebatarles al niño que preciaban en tanto...

el pocillo

Paran al niño sobre un pocillo con agua, tiran maíz quebrado, tapan el pocillo y al destaparlo leen en el agua y el maíz su estado. El niño también mira hacia el pocillo, pero él no comprende: ve que las mudas semillas lo espían, cada una con su ojo blanco, sintiéndose como un ciego sorprendido desnudo, porque sabe que las semillas sí saben ver en él cuando planta en ellas sus ojos redondos, ciegos a lo que las semillas le están viendo, desnudo ante la sabiduría del maíz. Habla quien tiró en el agua el maíz quebrado: "Está sano el niño, no hay que prestar atención al dolor, miren, es claro en el agua su reflejo...." Alza la vista para ver al que habló: Ve en los ojos de quien leyó su salud que sanará pronto y su malestar pierde ante él toda importancia. La nube del malestar se fue, las semillas rotas no son dueñas de nada acerca de él que él no comprenda...

el ojo de agua

Los buzos se hundieron en los tres ojos de agua y allí sacaron los corazones de los pechos de los jóvenes nobles. El agua clara se tiñó de sangre y empezó a burbujear, como si hirviera. Cuando salieron estaban sucios de sangre y fuimos a limpiarlos más allá, donde el río nace, entre las montañas. Yo, que soy muy joven, no me canso de repetirme en silencio las palabras que van a procurarme el amor de la mujer que yo quiero: "En el cristalino cerro donde se separan las voluntades, busco una mujer y le canto amorosas canciones, fatigado del cuidado..."

dijeron

Amanecido otro día muy de mañana se vieron todos con los cuerpos agujereados, que no tenía ninguno de ellos corazón, y se atemorizaron, los mexicanos.

la rama

Algo golpeó con fuerza la pared cuando todos guardaban silencio frente al maestro. Volvió a golpear, volvió a golpear. Salieron confundidos y en desorden y él sintió —en medio del movimiento de los cuerpos, el desorden y los fuertes golpes— que el mundo se zarandeaba, y temió el temblor y el fuego de las montañas que escupen cuando despiertan. Salió tras los niños brincando, dando de brincos para ocultar su temor, porque a él no le estaba permitido sentir temor, a él porque llegaría a ser un gran guerrero. Los demás niños miraron asombrados cómo en la confusión él encontraba un juego en sus brincos altos y lo imitaron, también se dieron a brincar mientras miraban que al ruido lo habían producido unas ramas del árbol que el viento poderoso inclinaba contra el muro.

el agarracolas

—¡El agarracolas! ¡El agarracolas!

A gritar, todos, el agarra...

Lo miró a él, con ira fulminante, como si fuera suya la mierda que cubría la cola que los muchachos habían trenzado para jugar al agarracolas. Lo mira a él, y piensa con la mierda untada en la mano que tendrá que tramar una astuta venganza, una venganza que haciendo su efecto nadie descubra, sin la dulzura que provocaría decir de dónde proviene, una venganza que viajará anónima pero que mandará el agarracolas contra Motecuzohma el joven. Éste se lo dice a sí mismo así, como si platicárselo le ayudara a esquivar la mirada con odio:

"Trenzamos con zacate seco la cola de venado para el juego. La batimos y se la anudamos al que aseguró que sabía correr mejor y escabullirse. El juego que le dijimos al nuevo era 'hay que agarrarle la cola al venado' y todos hacíamos, en el patio más oscuro, como que intentábamos agarrarla. Él la tomó con las manos y gritamos:

—¡El agarracolas! ¡El agarracolas!,

mientras él descubría con ira qué era lo que tenía embarrado en las manos. Después, se juró a sí mismo vengarse en mí, por un juego."

al lado de una yuca en flor

Un perro cruzó ante el paso del cortejo imperial. Atravesó

transversal el camino. Puso la mirada en el que nadie se atrevía a mirar.

Él dio la orden de detener el cortejo.

—¿De quién es ese perro? —preguntó.

De boca en boca corrió su pregunta.

De nadie era el perro. Nadie le daba de comer.

Todos esperaban que alzara la voz contra el desorden (¿cómo un perro suelto, en medio del camino que lleva a los lagos de la gran ciudad?), pero ¿quién iba a atreverse a mentirle?

—Nadie se hace cargo de él.

—Acérquenlo. Me lo enviaron a mí los dioses. Lo supe anoche en sueños. Él me cruzará a los muertos.

Pidió pusieran al perro en los brazos de su favorita. Cuando llegó la noche, ella seguía cargando al perro, ya bañado y comido. Pidió entonces a la favorita que pegara el hocico de su perro a sus pezones frescos.

—Dale de mamar a mi perro. Dale chiche.

¿Cómo iba una mujer a dar de mamar a un perro?

Pero quién podría contradecir una orden que él dijera, o a rejegar siquiera... ¡Quién!

La favorita forzó al perro a abrir su hocico. Le acomodó entre las quijadas el pecho y apenas sintió su áspera lengua sobre el tierno pezón sobrevino el dolor de la mordida, y el chorro de sangre y el alboroto con que la sacaron le impidieron ver la cara de desagrado del emperador.

Ella no era ya la favorita.

Con los años, no hubo qué la distrajera del pezón perdido o del dolor del rechazo mas que un dolor mucho más áspero: la muerte del emperador. Entonces pidió que la incineraran con el cortejo que lo acompañaría a lo que pensaron sería su último viaje, junto al perro que le había arrancado la mitad del pecho y al emperador.

Este recuerdo que acabo de contar no lo tuvo el emperador a su retorno, no llegó con la estampida de imágenes que aquí muestro.

Cayó en el lugar en el que él llegó, en el parque. Cayó y se quedó tirado en el pasto, al lado de una yuca en flor.

Este recuerdo debió ser de alguna de las mujeres que no tuvieron con qué mantenerse en carne sobre el aire que cubre la superficie de la tierra. Yo aquí lo consigno, sin saber si se refiere a algo cierto (y no lo creo) porque deambuló junto a las imágenes que atenazaban al que podía haber muerto de nuevo por la punzada honda de la jaqueca, si los dioses hubieran tenido piedad de él.

Alguna piedad tuvieron, sin embargo.

El sueño, piadoso, se llevó consigo a Motecuhzoma. El dolor quedó atrás, atrás la cabeza, atrás el cuerpo ardiendo, atrás los brazos aturdidos, los pies aturdidos, atrás. No quedaba nada nada nada nada más que un sueño abigarrado en el que no podía caber lo que no fuera sueño. No vio un triste amanecer gris, un amanecer en el que el sol se confundía con las sombras.

el sueño

¿Qué soñó? Que la ciudad, caída nueve veces cincuenta y dos años antes de la fecha de esta aparición (la insólita de Motecuzohma en el Parque Hundido) despertaba a su propio callado bullicio.

Se vio a sí mismo caminando en el mercado, extrañado de ir caminando como caminaría cualquiera que no fuera él, cualquiera que no llevara su nombre; se vio caminando con pasos lentos en medio de la multitud solitaria del mercado, oliendo el perfume de las hierbas, tocando la piel de las frutas, mordiendo el tiempo en las semillas, quebrándolas con los dientes para saber si sembradas darían buena cosecha. ¿Y por qué preocuparle? ¿Por qué averiguar si la semilla era nueva? ¿Y por qué iba caminando él, él, por el mercado, como un hombre cualquiera?...

Pero sobre todo, ¿por qué está dormido, si el aire está ardiendo y las flemas como costras en lo más hondo de la lengua, y la cabeza y los ojos y la incomodidad, y en dónde está, en dónde...?

¿En dónde, si él ya está muerto?

Lo incineraron una mañana triste, junto con su perro y algunas mujeres para acompañarlo.

¿Qué hace aquí encarnado en su propio cuerpo, oliendo el frescor del pasto recién cortado?

El rocío no sería capaz de humedecer las trece mantas ricamente bordadas, el plumaje de águila y la piel de jaguar que mira con mil ojos desde el cielo al universo...

un sueño, uno de hacía mucho tiempo

Un hombre enorme rubio, enorme, casi brillante. Conforme se acerca a él, su tamaño disminuye. Se vuelve opaco, desteñido. Su piel, un poco rojiza, parece como inflamada, como desagradablemente abotagada. Las líneas en la piel no parecen hundidas, sino bordadas, sobrepuestas. Parecería enfermo, pero conforme más se acerca más se parece su piel a la de un puerco de monte. Huele mal. Algo tiene, sí, de carne de puerco. Algo más de verdura hervida: de tocarlo podría deshacerse. La luz alrededor suyo se torna más espesa, casi irritante.

Recuerda lo hermoso que lo percibió a la distancia y se acrecienta el desagrado. El hombre verdura cocida, el hombre puerco de monte, saca una daga de sus ropajes y lo toma por el cuello; no puede verlo, sólo siente su brazo bajo la barbilla y la daga empujando las carnes bajo su ombligo, en la espalda, entre sus nalgas.

El hombre que él creyó ver brillante en la distancia lo mata y permite que su sangre corra en la tierra, alimente a los malos seres que la chupan bajo el piso para que la devoren. Ceba a la noche con su sangre; el que él creyó admirable a la distancia es sólo un ser despreciable, es un bicho despreciable.

los caracoles

Una mañana los caracoles dejaron los jardines y se dirigieron como si se hubieran dicho todos a una a las casas. Los caracoles caminaron hacia el quicio de la puerta. Los caracoles todos a una se enfilaron hacia las casas. Parecería que el jardín se hubiera inundado y los caracoles temieran morir ahogados, porque rápidos, constantes, se enfilaron todos a una a las casas. Muchos murieron aplastados por las suelas de quienes caminaban. Muchos otros llegaron a las casas de donde fueron alejados con baldes de agua: como si allí hubieran encontrado la inundación que temieran. Entonces nadie pensó que lo que había ocurrido fuera señal o admonición, pero al recordarlo en una noche de encierro pensó que la invasión había empezado aquella mañana, encarnada en los caracoles astutos que pintaron los senderos con su opaca baba.

las ruedas

Orteguilla, sentado junto a él, le muestra lo que ha construido: cuatro ruedas de madera, unidas de dos en dos por sus centros con una vara de madera.

Las pone en el piso, una pareja adelante de la otra. Sobre ellas, una caja ligera y sin tapadera, detenida sobre las varas.

Orteguilla, emocionado, le habla mientras hace avanzar el artefacto sobre el mosaico blanco y negro del piso.

—Rueda, esto rueda. ¿Veis?, sin fuerzas, camina sin hacer.

el labio

Valga el golpeteo del artista en la piedra aunque su sonido nada tenga que ver con la maravilla que el labrar despierta. Trabaja incansable, parece que no se detiene nunca.

Pasó a las otras habitaciones donde repetían, incansables también, el movimiento que en algún punto dará forma al baile. Siguió caminando, oyendo el vigor de los artistas y, deteniéndose frente a quien dibujaba sobre el papel la imagen del propio emperador, pensó en el imperio o en la grandeza del imperio y oyó en su corazón el sonido del orgullo, el repicar de la soberbia, el tamborileo del vencedor y cuando dejó de sentirlo vio en la mano del artista la cuenta de cristal que contenía una pluma de colibrí. Era para el labio del emperador.

por qué

¿Por qué dejan regar su sangre al piso? Por qué lo matan encajándole una daga entre los intestinos, por qué dejan entero su cuerpo, como engaño de que estuviera vivo, a quién quieren engañar, qué destino le espera en la muerte con una forma de muerte así, muerto a manos sucias, muerto por el miedo de los cobardes inmundos que lo rodean, de los mentirosos, de los ebrios, de los que no tienen sabiduría en sus lenguas ni en sus manos, muerto a medias, con el cuerpo entero, un cascarón de vida, el corazón vaciado miserablemente.

otro brillo

"No sólo eran brillantes las cuentas de vidrio: ellos venían recubiertos de brillo, como si fueran joyas de plata articuladas. Su piel quedaba atrás, protegiéndose de los que saben ver a las pantorrillas y extraer con la mirada el vaho de la vida.

"El sol topaba con ellos y brincaba irradiando melancolía."

recuerda lo que él vio en el camino

Corría como un leopardo antes de reventar en carne, un leopardo de ojos, con la piel abierta en ojos en cada mancha, todo ojos en el océano de su caída; vio el cielo azul y oscuro, espeso para detener la brillante y enorme luna, vio las estrellas y ese vertiginoso pasar de troncos de árboles, uniformados de color blanco hasta la cintura. Alguno de los árboles traía un harapo al cuello, blanco también, y todos tenían las hojas brillantes porque reflejaban el aullido de los brillos inexplicables que colgaban flotando en nada, brillos a pie sobre largas columnas paradas junto a los troncos, junto a los árboles como para confundírseles.

Corría casi a ras de suelo, antes de —reventando en carne— detenerse, caído, sin poder moverse, casi como un recién nacido.

No tenía edad. Tenía más de cincuenta según nuestra cuenta. Pero recordar su fecha de nacimiento era hacerle tener cientos de años que él no había vivido.

Tenía cincuenta, más o menos.

Pero en realidad no sé; nada sé mientras él duerme y despierta un poco y vuelve a caer en el sueño y trata de despertar pero nada sabe, en verdad, él nada sabe y no puede levantar la cabeza.

de dónde venía

Venía de sentir lo que era estar muerto, venía de saberlo y de serlo sin saberlo, y estarlo era casi como intentar despertar: un montón de recuerdos, en desorden, peleándose por ocupar su lugar, peleando inútiles, un montón de recuerdos peleando, un montón anudado de inútiles que, quien pasara junto a ellos (pero nadie pasa junto a los muertos, quién va a pasar si por eso lo están) sentiría espesos y pegajosos, informes, sin astucia ninguna, cómo diré, cómo diré qué era lo que él tuvo y tenía cuando muerto, si ni él puede recordarlo aunque lo haya estado. Si cierra los ojos y dice "estuve muerto", se dirá "pero qué es eso, no recuerdo nada, no pude estar muerto, si estoy vivo, pues no se puede, no".

amonestación

Ya, arrebuche, ya, levántate, despierta. Ya. ¿Qué corre por mis venas que no me deja espabilarme? ¿Qué comí o bebí o qué humo aspiré que no me deja despertar? ¿Cuánto tiempo llevo intentando despertar? ¿Por qué ninguna me auxilia? Con que me llamaran podría abrir los ojos y empezar el día. ¿Por qué no me despiertan? ¿Estoy enfermo? ¿Estoy solo? No puedo estar solo, ¿dónde estoy?

el estanque

"Los niños nadan en el estanque de mosaicos azules, de orilla de piedra rosa entreverada con pinturas y rodeado de flores de mil colores.

Ve a los niños jugar en el agua, salpicar sin asustar a las mariposas. Todos están sonriendo y ríen y dan pequeños saltos de gusto, cuando, de pronto, uno, pequeño, da un grito agudo que espanta y sobresalta a todos.

—¿Te lastimaste? —le preguntan sus hermanas, mirándolo.

El niño contestó con una risa y siguieron jugando como si nada hubiera pasado. Pero él avanzó hacia el niño como si el agua del estanque fuera la continuación del camino por el cual iba, y tomándolo de sus cabellos lo alzó y sujetándolo de los hombros le dijo sin alzar la voz (se le escuchó bien porque para este momento mujeres y niños guardaban silencio absoluto y nadie hubiera podido haber visto ninguna sonrisa), le dijo:

—No debes gritar así, nunca.

Lo soltó en el agua, salpicándose, y al salir del estanque ya lo esperaba el cortejo con un cambio de ropa y sintió en el silencio la mirada temerosa de los niños que aprendían que la palabra de Motecuhzoma es dicha para poner el orden en los cimientos del cielo.

Ese mismo día, al salir al camino, vio a un pordiosero tirado a la vera del camino. Ordenó que quien fuera pordiosero con sus dos manos debería atrapar insectos, moscas de preferencia, animales comedores de basura, para que la ociosidad y la miseria fueran por la perfección de la ciudad que es, sí, el cimiento del cielo."

la noche

La noche, esa noche, no hay sueño para mí. Yo quiero dormirme. Quiero olvidarlo todo, dormirme y no soñar, pero no puedo conciliar el sueño, los escucho gritarse con voces que nadie les enseñó a modular, con descuido se hablan entre ellos, alguno casi grita, están enojados, no se ponen de acuerdo, si aplico mi oído alcanzaría a entender de qué están hablando, pero no quiero escucharlos: la noche es demasiado transparente, me lleva hasta donde ellos están, hasta el lugar del otro lado del mar, de donde ellos han venido. Lo que debo hacer es dormirme. Dormirme, para mañana tener la cabeza despejada e intentar... qué puedo hacer, qué debo hacer. Otro debe tomar el mando del ejército antes de que desaparezcamos todos...

No debo pensar ahora, debo dormirme. No quiero saber qué es lo que discuten, no sé si se hablan coherentemente entre ellos o si esa enfermedad sucia que los hace necesitar el oro los hace decir cosas que no tendría sentido alguno escuchar. Si alguna mujer me acompañara, sería posible dormirme. O si me soltaran de lo que llaman grillos que me ha llagado las muñecas. Una mujer, para tomarla de sus pechos y sentir que ahí tiene un corazón aún, algo con lo que podríamos contentar a los dioses, porque mi corazón está en silencio, no lo oigo palpitar, no me dice nada. Gritan más fuerte. Debo dormirme, debo dormirme siquiera un poco antes de que el resoplido de sus animales sudorosos me despierte, qué estoy diciendo, si no oigo a los caballos desde aquí; debo dormirme...

Entonces entran al cuarto, los estoy viendo en la oscuridad, a la que se han acostumbrado ya mis párpados abiertos, entran y en lugar de llamarme por mi nombre se acercan torpes tratando de ser sigilosos y no despertarme pero si son brutos hasta para eso y con una daga mueven la manta en que me he estado tratando de cobijar para dormirme. Brinco sobresaltado y sobresaltado el que empuja la daga retrocede y yo brinco pero no puedo brincar, los grillos me lo impiden y entre dos me sostienen retirando sus rostros del mío para que yo no pueda reconocerlos, me sostienen volcándome boca abajo, lastiman más mis muñecas heridas y digo o quiero decir ¡qué pasa! cuando siento el dolor en mis carnes huecas, siento la daga destrozándome y oigo un vocerío que me impide sentir el dolor y oigo las voces de todos ellos, las que he llegado a conocer tan bien y para mi desgracia, embarrándose las unas con las otras, sucias, las que me han mentido y no terminan de matarme y oigo que dicen: dejen su cuerpo entero, no lo lastimen, déjenlo entero y alguien contesta es que no se ha muerto y le dice el que habló mueve la daga, clávala más hondo, rómpele las carnes, destrózalo pero déjalo entero porque tenemos que mostrarlo, déjalo entero, ahí déjalo, que se desangre, por qué vinieron estas bestias aquí, a estar entre nosotros, qué buscan, están enfermos sus corazones y jalonean algo entre ellos y oigo una voz que dice no debimos hacerlo, él siempre fue noble y generoso con nosotros y luego otro le dijo no vinimos a tener conmiseraciones, tiene que ser nuestra ya la ciudad antes de que...

Hablando y discutiendo, casi peleando entre ellos, salieron, dejándome desangrarme, para morir a solas, y me cansé de decirme muérete ya, muérete, por favor ya muérete como me había dicho ya duérmete, ya duérmete, como si por dar o no dar la orden...

Cuando por fin salió toda la sangre que tenía adentro de mi cuerpo, ya los rayos del sol entraban por la puerta, y se oía resoplar a sus sucios animales...

recuerda otro sueño que tuvo hace mucho

Un cuerpo blanco en la oscuridad. Delgado y blanco, flexible y blanco; bastaba tocar el cuerpo desnudo para conocer la suavidad que lo envolvía, como piel de un niño pequeño, ya para sentir en su delgadez los músculos firmes, como guardándose, como si tendido no se moviera con ellos sino como se mueve un pez.

Sí, como un pez. Porque la piel casi llegaba a brillar en la oscuridad. Era casi como el resplandor que dejan por la noche los huesos, pero no llegaba a serlo.

Besaba y besaba y cruzaba sobre el otro cuerpo los brazos con delicadeza pero con fuerza.

Estaba enteramente desnudo. Una barba tupida le cubría gran parte de la cara, un poco rojiza, que parecía recién perdonada por la navaja.

Pasó la mano por la cara: era suave la barba, como la de un niño, o como sería la barba de tenerla un niño.

El cabello era suave, como delgado hilo de algodón.

De pronto pudo verlo como a la luz del sol: la blancura de su piel era como la de una flor blanca que estuviera por marchitarse y los cabellos tenían el color de la caña seca pero como si ésta estuviera viva, o el color que tendría el oro si el oro muriese.

Los ojos tenían el color del cielo.

Esto lo vio dormido, antes de ver con los ojos que dan al sol que el hombre blanco llegaría para tronchar, comer, poblar...

un ojo del niño

Amaneció con un ojo inflamado, con legañas en los párpados y con lágrimas espesas. Le ardía. Trajeron a la señora que otras veces lo había curado. Vestía como imaginaba que vestiría la diosa que camina algunas tardes entre los nobles, adornada y pulcra. Lo miró seria, y después él ya no vio más mientras le estregaba el ojo (hasta hacerlo sangrar) con una hierba fuerte y diciendo muchas palabras apresuradamente.

Fregó el ojo con copal y lo limpió de nuevo, sin dejar de pronunciar palabras. Y su ojo amaneció sano al día siguiente.

pensó:

"Puedo estar vivo. Pero no en mi cuerpo. Puedo ser piedra, colibrí, pluma, oro... Podría (por qué no) estar sobre la superficie de la tierra contemplando. Vería que en la vida nunca habrá fin, que la vida no terminará nunca. Podría, siendo piedra, tener ojos por el recuerdo; podría ser colibrí o pluma y pensar y sentir, por el recuerdo de lo que algún día fui, eso lo acepto, así como confirmar que el cielo está y que el cielo guarda en su presencia mi memoria, y me hace sentir presente cuando ha tiempo que he muerto. Pero no puedo tener el cuerpo que tenía en la Tenochtitlan. Esto querría decir que el desorden y la vacilación han llegado a la tierra, querría decir que la vida podrá terminar porque las piedras han dejado de serlo, y el cielo ya no lo es, ni las plumas ni los colibríes aleteando... Ni el viento. Ni el sol: el final sobrevendría sobre la tierra si yo regresara con un cuerpo que he perdido, anunciando que el final llegará, que el final está a punto de llegar aquí...

"..."

...cuando llevamos al Capitán Malinche, a Hernando Cortés, a visitar el jardín donde conviven todos los animales, él y sus hombres no compartían nuestro asombro. Estaban asustados, me preguntaban que para qué había yo puesto a todas estas bestias aquí y yo no hallaba cómo explicar que en este jardín se guardan todos los animales que hay en mi imperio y más allá, hasta donde mis embajadores han hollado y han podido cazar.

—¿Qué es esto?

Su lengua trataba de explicarle, pero Cortés no salía de su asombro viendo el jardín donde conviven los animales. No le gustaba a Cortés, no le parecía bueno, preguntaba:

—¿Qué es esto?

y preguntaba:

—¿Para qué han hecho traer aquí tantas bestias?

Y ante todo mostraba desagrado.

el agua

Vimos hervir el agua del lago, como si un enorme fuego la estuviera calentando. La vimos hervir y metimos las manos pero no era ni fría ni caliente, y metimos los pies pero estaba al tiempo, también. Entonces nos explicaron los sabios que las sales que habitan el agua, invisibles, casi siempre mudas, algunas veces tienen que mostrar su presencia. Y que ellas la hacían comportarse así. Explicaron también que las lagunas dulce y salada que conviven en el Valle tienen que, ciertas veces, batallar entre sí para respetar mutuamente sus territorios y las calidades de sus aguas. Viéndolas hervir, sentía hervir la desazón en mi pecho. Viéndolas hervir, mi corazón se agitaba de tristeza. Luego escuchaba las explicaciones que me daban sobre el hervor y me tranquilizaba casi hasta alcanzar la risa. Pero mientras tanto muchas veces lloré de temor, pensando que tal vez alguna gran desgracia sobrevendría sobre mi gente durante mi reinado, y sentía que las lagunas hirviendo y mi pecho hirviendo a la par y mi cabeza hirviendo anunciaban algo terrible contra lo que era difícil batallar... Imposible pelear... Porque yo no había iniciado dicha guerra...

el templo

En un templo, los dioses de todos los pueblos convivirán para que los hombres comprendan que con los mexicanos a todo se dio armonía, a todo sitio. En el templo, se sabrá cómo tratar a cada dios, se sabrá cómo darle contento.

fiesta

... antes del baile, plumas en el pecho y la espalda, plumas de diversos colores y largas plumas —blanca, amarilla, otra colorada— pegadas con ocozotl en la garganta de los pies y en las muñecas...

el que hace salir a los dioses

El que hace salir a los dioses abrió frente a nosotros su morral y de él salieron los dioses, perfectos, bien ataviados y adornados con piedras y plumas, unos como niñitos, los hombres con capa, su collar de piedras finas, las mujeres su camisa, su faldellín. Bailan, cantan los dioses lo que el que hace salir a los dioses les permite y, cuando lo han hecho, él remueve otra vez su morral, y por él van entrando, se acomodan todos allá adentro del morral. Entonces el que hace salir a los dioses se retira, caminando hacia atrás, de la vista del Emperador.

paseo

Camino mirando las flores y las hojas, las raíces, los tallos, acompañado de quien tiene toda la sabiduría en ellas. Conoce las familias, conoce sus caprichos, sus poderes, conoce cuáles se relacionan con quiénes, aunque a veces no lo parezcan, conoce cuáles son dañinas, cuáles son inofensivas, cuáles sirven para curar, y guarda recuerdo de todas. Caminamos por los jardines, las hemos traído de todos los lugares, aquí conseguimos que las plantas del desierto y las de la humedad convivan a pocos pasos. Caminamos y siento mi pecho henchido de gozo...

el cadáver del emperador

Cuando sacaron al cadáver para engañarlos con que iban a oír las palabras de su emperador, olvidaron poner la música que antecede su aparición, los tambores, la invocación, porque aunque fuere su prójimo en cuanto al ser de hombre, en cuanto al oficio era como un dios. Todo era falso, y el cuerpo que alguien detenía para que no cayera (pues si era un muerto) se repetía a sí mismo las palabras que le habían sido dichas el día de su coronación: "¿Qué hará si en su tiempo se destruye su reino, o nuestro señor enviase sobre usted su ira, enviando pestilencia? ¿Qué hará si en su tiempo se destruye el reino y su resplandor se volviese en tiniebla?" Pero dejó el orden de sus recuerdos cuando sintió sobre su carne muerta, en la frente, una piedra lanzada desde allá abajo y se dijo: "No es para mí, es para Hernando Cortés, porque quién no se dará cuenta de que me han matado, pero me ha atinado a mí, en la frente" y cuando terminó de decirse esta frase, cambió el curso de su pensamiento y dejó que sus venas de sangre ya inmóvil y un poco descompuesta babearan sangre en el lugar en que habían aventado la piedra, en su frente, y cambió el curso de sus recuerdos: "Muchos tienen envidia a los señores y reyes por tener lo que tienen y comer lo que comen y beber lo que beben; y por eso se dice que los reyes y señores comen pan de dolor. Señor, no piense que el estado real y el trono y dignidad es deleitoso y placentero, que no es sino de gran trabajo, y de grande aflicción y de gran penitencia".

Estas palabras fueron las que él recordó cuando enseñaban

afrentosamente su cuerpo muerto a su ciudad revuelta en ira, abandonada, descompuesta, y con tal volumen se dijeron ellas mismas adentro de él que no pudo escuchar qué gritaban allá abajo. ¿Le decían algo a él?, ¿insultaban a Malinche? ¿Sabrían cómo hacer a estos bárbaros extraños la guerra?

Ahonda más adentro;
desvuelva las entrañas el insano
puñal; penetra al centro.
Mas es trabajo vano:
jamás me alcanzará tu corta mano.

Fray Luis de León.

II

Se enojaron los dioses cuando los guardianes del parque echaron el veneno que tapara los túneles del hormiguero. Se enojaron los dioses, pero no tenían cómo externarse, atrapados en una tierra que los desconocía, encerrados en un tiempo que no los recordaba, hundidos entre restos de tiempo que no había tenido nunca noticias de ellos, casi inexistentes, porque su realidad sólo era conocida por ellos y por el gran Moctezuma. Lo más que logró su atrapada ira en el espectro de los actos fue soltar un viento constante a ras del suelo, un extraño viento que no levantaba de la tierra o del pavimento, a menos que tuviera por qué subir, por dónde trepar, un viento a gatas, un viento rastrero, un viento que parecía no saber volar.

La arenilla, el polvo fino, la cenicita en que reventaron las mujeres apenas encarnaron, apenas aparecieron, la cenicita en que su débil y única posible conformación había cobrado cuerpo, ya sin memoria personal acogió la ira de los dioses, y cargada de ella en la sustancia del enojo se dio a volar, haciéndose parte del vuelo bajo en que la transportaba el viento recién nacido, el viento tibio, casi imperceptible, con que los dioses externaban su enojo. Siguió tras los talones de quien la dejara hablar, rápida, constante, incansable, persiguió como si tuviera voluntad un cuerpo sobre el cual pudiera alzarse para decir que Moctezuma había llegado, que había aparecido en el Parque Hundido, que ahí estaba de vuelta el Tlatoani de cuerpo entero, que aunque las mujeres habían llegado con él y antes que él, sin soportar su forma humana se reventaron en el polvo fino, en la ceniza que se había vuelto mensajera.

Los químicos lo saben: cada polvo es distinto, cada ceniza se comporta de manera diferente. Cada uno de los puñados que alcanzó a agruparse en la súbita huida, en la improvisada carrera tras una voz, repetía el mensaje de la aparición de Moctezuma en la Ciudad de México de una manera diferente y algunos de ellos no tenían la consistencia suficiente para ser algo más que el deseo de contar la historia: no tenían la fuerza necesaria consigo, no tenían el vigor, o decían su mensaje de manera equívoca o equivocada. Aquello que no pudo sostenerse con cuerpo o memoria de mujer, las mujeres que murieron junto con el Tlatoani en la ceremonia que él mereciera por serlo, aunque su imperio se desmoronara, ahora se había convertido en lo que deseaba hacer decir la historia, ahora era cenicita, polvo fino acarreado por un viento casi imperceptible y que cualquiera creería indefenso.

Si exagerara, faltando literalmente a la verdad, se comprendería mejor que aquel polvo acabó siendo en un caso lo que a continuación aparece; si exagerara diría que el polvo, la ceniza, la arenilla se transformó en tinta, en tinta solamente. Pero mi exageración, puesto que lo es, no sería información precisa, porque el polvo se transformó también en la manera que el escritor tuvo de entender lo que el polvo le dice, también en su negativa para escribir lo que el polvo le pide, y en su deseo de escribir una novela en la que sabe no podrá avanzar, una novela que sabe no podrá escribir y cuyo deseo de ser llevada a cabo él trata de ahogar separándose de ella, y que lo llevó a anotar palabras de la siguiente manera:

(primer fragmento de novela)

“Aquí abajo, en estas regiones circuncentrales,
vemos el bien supremo, no en tomar ni en recibir,
sino en dar y conceder.

François Rabelais, *Gargantúa y Pantagruel*

“No sólo Motecuhzoma Xocoyotzin, noveno Tlatoani azteca, recibió a los ‘conquistadores’ sin presentarles resistencia. Hay por lo menos otros dos ejemplos similares, el inca Atahualpa con Pizarro, el zapoteca Gozioguesa con Pedro de Alvarado.

"Dejarlos entrar, obsequiarlos, albergarlos como nobles huéspedes en el palacio del padre son acciones que han sido erróneamente leídas como signos de entrega y de cobardía (y ¿qué decir del 'castigo' que hace Motecuhzoma al guardián de 'la vela' y la vergonzosa respuesta de este último? Pongo en boca de Bernal el incidente: 'Era de la vela un soldado muy alto de cuerpo, y bien dispuesto y de muy grandes fuerzas, que se decía fulano de Trujillo, y era hombre de la mar, y cuando le cabía el cuarto de noche de la vela era tan mal mirado, que, hablando aquí con acato de los señores leyentes, hacía cosas deshonestas, que lo oyó Montezuma, y como era un rey de estas tierras tan valeroso, túvolo a mala crianza y desacato que en parte que él lo oyese se hiciese tal cosa y sin miramiento de su persona... Que desde que fue de día, Montezuma lo mandó llamar y le dijo que por qué era de aquella condición que, sin tener miramiento a su persona, no tenía aquel acato debido; que le rogaba que otra vez no lo hiciese, y mandóle dar una joya de oro que pesaba cinco pesos. Y a Trujillo no se le dio nada por lo que le dijo, y otra noche lo hizo adrede creyendo que le daría otra cosa...' ¡Repetir la grosería para intentar provocar una dádiva similar!, eso sí es de cobardes y de salvajes). Equívoco de bárbaros: la guerra, para los mesoamericanos, no era rapiña, despojo o violencia ejercida entre hombres. Era un acto en el que los dioses intervenían y para el cual había que preparar ceremonialmente el terreno. Ceremonia, sí, demostración, ejercicio de justicia, y jamás traición, asalto, usurpamiento. Un ejército poderoso no tenía derecho a arrasar sin miramientos: había que respetar los pasos a seguir, el rito, la tradición de la guerra, hecho lo cual se tenía acceso a toda la violencia. Suponiendo que unos bárbaros (imposible, conocían a los habitantes del Mundo, la tierra había sido rastreada) irrumpieran armados e intentaran, sin 'hacer la guerra', con pura violencia, vencerlos, entonces sabrían responder con la violencia. Con lo que no contaban era con la probabilidad de lo imposible: unos bárbaros que aceptaran los primeros pasos de la ceremonia (los regalos, las pausas necesarias para el reconocimiento de las fuerzas) y que después actuaran con violencia gratuita, sin respetar las pautas de la guerra, como bárbaros: hacer la guerra comenzaba con intentar llegar a un acuerdo, negarse al convenio de tributo, demostrar en los regalos la fuerza, fijar el día para la batalla, comparar las fuerzas y equilibrarlas para que la lucha fuera pareja y los dioses pudieran intervenir en la decisión del ganador. Privilegio del imperio: la guerra no podía hacerse con desconocidos, era un lenguaje, dos grupos humanos hablaban con los dioses al medirse entre sí. La muerte del contrario no es lo que se perseguía, se buscaba la captura de un enemigo para, en otra ceremonia, entregarlo a los dioses. Para que el sol no perdiera su rumbo: la sangre, la violencia, el imperio, el dominio quedaban protegidos por un cielo al cual ellos alimentaban y que les daba un sentido de orden y de nobleza.

"El Conquistador entró a tomar lo que, pensaba, tenía que ser suyo. La codicia, el poder, el sinsentido de occidente y su violencia sin rito vinieron a regir la relación entre el indio y el Conquistador. El imperio que sostenía al indio fue su debilidad. El ser dueño de nada fue la fuerza del Conquistador.

"El dueño de nada se hizo dueño del mundo, arrebatando, despojando. Todo se entregó al sinsentido. Los dioses guardaron silencio y la ciudad más hermosa del mundo fue destruida al ser propiedad de los recién venidos. El emperador que intentó sostener con ellos el diálogo que antecedía a la guerra fue tomado prisionero a traición: rotas las reglas, él no supo cómo comportarse. Quienes lo ataban con grillos no eran humanos: no comprendían los gestos de los hombres, y destruían como si en ello encontraran un gusto, hablando de un dios que sólo los alejaba del mundo por siempre amén.

"Si elijo a Motecuhzoma Xocoyotzin como personaje para novela, es porque él queda exactamente en la orilla del precipicio, mirando que el lugar donde iba a poner el pie era convertido en nada. Y con su fin el del modo de vivir como hombres, y con su fin el de los dioses, y con su fin tal vez el sol ya no volviera a salir nunca...

"En ese estado, el personaje, dos horas antes de morir asesinado por los bárbaros, repasa con mirada atónita la terrible, violenta, dolorosa trama del fin de Tenochtitlan.

"El título de la novela sería *Atónito* y sólo hasta la última línea se sabría que el personaje que la 'confiesa' es Motecuhzoma el joven. Ni una pluma, ni un término en náhuatl: porque él no es un 'indio', un mexica, no tiene ni raza ni patria. Él es un hombre que mira el fin del Hombre.

"Eso sería la novela: relato del valeroso, del guerrero, de la cabeza del imperio al cual se le acaba el Mundo. No tiene qué gobernar, qué combatir, a quién mandar: las palabras, las costumbres, los dioses, el alma han muerto.

"Esta muerte es sorprendente. Tiene algo de burla. Motecuhzoma Xocoyotzin trata de entender para qué han venido, para qué han llegado ésos, los no humanos. No puede entender la gratuidad y la codicia. Trata de averiguar para qué han sido enviados esos hombres, qué se puede leer en la destrucción que provocan. Repasa vertiginosamente los hechos que ha comprendido, la incomprensión y el poco entendimiento de los que llegaron. No comprende la Traición. No sabe por qué quien niega a los dioses puede destruir y actuar con vileza sin ser víctima de la ira de los dioses.

"Pero al final no pierde la fe: cree que al morir él, los dioses caerán sobre el Conquistador y restaurarán la firmeza de los cimientos del cielo. No entiende por qué a él le ha tocado tan desagradable circunstancia, pero esa chispa de fe de que el problema está en él y que ya muerto en este guerrear sin nombre el Orden volverá a instaurarse, le da la serenidad necesaria para al ser asesinado morir instantáneamente, en paz.

"Para siempre.

"Sin embargo, no escapa a mi entendimiento de escritor el que esta novela sea imposible. La confesión de Motecuhzoma el joven tiene que ser hecha en el marco de su cultura para ser comprensible. Empresa inútil: Tenochtitlan ha muerto y su memoria es confusa. Bien explican las líneas que aquí anotaré el abismo que nos separa de ellos, no sólo en el tiempo, un abismo que está hecho de una manera de pensar, de percibir, de una organización de la máquina limitada con que enfrentamos los hombres desde nuestro interior la maravilla deslumbrante de la naturaleza y el misterio del Mundo: ¿cómo podría yo armar el discurso de M. X., si recuperar su entorno es imposible? ¿Quién es él? ¿Cómo decir lo que él debe decir o puede decir si no puedo, ya no como escritor, como persona, 'ponerme en sus zapatos'? —¡La novela que yo quiero escribir es una mentira, está llena de paja en lugar de estar animada de vísceras! —¡La novela que he de escribir es una novela imposible! (Casi olvido anotar la cita a la que aludía líneas más arriba: Por la ceguedad de su idolatría, muchas veces tomaban las tinieblas por la luz y la luz por las tinieblas y no pocas elegían el mal por el bien y el bien por el mal y por tener el paladar estragado lo malo tenían por dulce y lo suave dejaban por les parecer amargo, de los *Memoriales* de Motolinia.)”

Ahí murió, entonces (sabiendo cuántos sentidos puede tomar la palabra morir, y sabiendo que no implica un acto definitivo, un acto para siempre), este puñado de polvo fino. Un suave olor a mujer se soltó en el aire, para anunciar que ahí acababa ésta que no supo sostenerse al aparecer en la superficie de la tierra y que el polvo en que finalmente cobrara forma tampoco había podido ejercer su labor mensajera. Pero el viento que hasta ahí lo acarreara siguió caminando, empecinado y sordo, como si no le importara que sus mensajeros pudieran transmitir el sentido de lo que él, en su lomo nacido de la ira, cargara.

Allá sigue el viento rastrero, caminando hacia adelante, caminando hacia atrás, a gatas por la gran ciudad.

III

(Habla Laura:)

—Nos quitaron la piedra.

Di un brinco para bajar. Me había zafado los tacones en el coche y tras los calcetines sentía el rugoso camino del parque.

—¿Para qué quitaron mi piedra?, ¿a quién le iba a molestar? Era mi escalón...

Una piedra grande, que nadie había tallado, en la que antes no había puesto atención, sólo la usaba a mi llegada al parque para bajar a lo hundido. Tal vez ni era piedra, un trozo enorme de pavimento arrancado quién sabe cuándo, sin forma o con forma de piedra, pálido, servicial, siempre con la disposición de recibirme donde no había escalón y yo tenía que dar un enorme salto. Mi piedra.

Después de lo que habíamos bebido durante la noche, el verde estallado del parque hacía parecer agua al pasto y al seto para refrescarnos.

Los árboles parecían de otra materia que nada tenía que ver ni con el agua, ni con lo vegetal, ni con la madera, algo que los emparentaba con las sábanas frescas de las camas cerradas que en cierto lugar estarían esperándonos.

Caminamos más de prisa, como si así pretendiéramos engañar a aquel con quien cruzáramos. Todavía no se veía trotar a algún gimnasta pero ya pasaría alguno, mojado en sudor, correteando alrededor del parque, recién despierto, haciendo desplante de orden y disciplina, cruzando con nuestras caras estragadas por la desvelada.

No habíamos dormido en toda la noche. Yo había llorado mucho, Margarita y Luisa se habían reído de mí y de cualquier otro pretexto, y seguro eso y el alcohol se nos notaba.

Hemos de haber sido tres piltrafas.

Por lo menos, en el coche, nos habíamos pasado por las cabezas el cepillo, el cepillo de cerdas de animal que venía en el asiento del coche de Margarita.

Ahora pienso en cómo nos veríamos, pero cuando entramos al Parque Hundido no nos preocupaba. Yo vi las plantas, sentí el fresco de la mañana y me detuve frente a la estela del danzante que tiene doble pene. O así lo veo yo.

—Está horrendo, pero con lo que tiene ahí yo se lo perdonaba; lo horrendo.

Ni a Margarita ni a Luisa les hizo gracia alguna el comentario. Las vi cansadas, creo que estaban hartas de mí y que empezaba a fastidiarlas esta mañana sin sueño, una mañana tomada fuera de lugar que nos hacía sentir en el cuerpo la ropa sucia del día de ayer y esa sensación similar a la jaqueca y a la ebriedad que produce la falta de sueño.

Porque ya no estábamos borrachas. De hecho, yo me había dormido un momento en el sillón mientras ellas hablaban, el sueño me debe haber ganado porque había llorado mucho.

Sólo hacíamos el ridículo paseando por el parque en el fin de fiesta, no nos importaba mucho, sabíamos que siempre estábamos cerca del ridículo. Si fuéramos hombres, seríamos tres muchachos normales, pero no lo somos. Ni muchachos, ni normales.

Yo dije lo del pene doble porque era lo que había dicho toda la noche. No órganos dobles, lo único que ese día quería y con toda mi alma (nótese, alma) era un hombre que me hiciera el amor toda la noche, no quince minutos, ni veinte ni un poco de ratito más, un hombre para toda la noche y con lo que así se consigue: esas pocas palabritas que se sueltan aquí y allá y parecen querer decirlo todo o que por lo menos serían capaces de consolarme de la sensación de estúpida soledad, por llamarla de alguna manera ("tengo el cuerpo devastado, el alma rota y habitando en la desolación, todos los pedazos de que estoy hecha son trozos atrapados en un tiradero, cortada soy, y sería sangrante si el flujo de mis venas aún obedeciera a mi corazón.

"Mi inteligencia es un globo de helio, la sujeto a mí a la distancia con un hilo, si me distraigo, suelto el hilo y a la distancia se va, mi inteligencia, la veo pequeña, más pequeña, como un punto en el cielo hasta que ya no es nada, más que viento. Entonces, de los rasposos pedazos que soy, tomo lo más entero y lo pulo y armo a la manera de que supla mi inteligencia. Con ella, con mi inteligencia, sé de mi incómodo dolor. ¿Para qué entonces la vuelvo a formar adentro de mí? ¿Para qué esta bola incómoda de fuego en el centro de mí, sin ella, insensible al dolor?

"¿Para qué? ¿Para qué? Para que el poquito de humo repugnante que forman los trozos desarmados de mi estúpido cuerpo sin rumbo no se disuelva en una materia más peligrosa, una materia con picos y filos y lijas, una materia en la que ya no se pudiera sentir mi voz, único alivio para este ardor en que me..."), pero a estas horas y con la cruda espantosa que parecía zarandearnos a todas de los hombros, a Margarita y a Luisa ya les tenía sin cuidado todo el asunto.

Cuando yo estaba a punto de proponer que nos durmiéramos en el pasto, aunque al rato el sol nos despertara o el frío nos impidiera dormir, pero acostarnos, como fuera, con hombre, sin hombre, con dos o con ninguna, con amor de a quince minutos, de a dos o de nada, todo me importaba un comino, es la verdad, esto fue lo que vimos:

IV

El viento siguió adelante. No le importaba qué sería de Moctezuma. Le tenía sin cuidado, no lo tomaba en cuenta, él no podía parar. Caminando casi invisible, con sus bolsillos cargados de ceniza, de polvo, de arenilla, seguía ligero por las calles de la ciudad, buscando en quién treparse para dejar el polvo mensajero que traía consigo, siempre a gatas, pegado al pavimento, sin levantarse. De pronto hizo un movimiento que podría haberse interpretado como hacer alto, pero que consistió sólo en cambiar su dirección, y dejó ante los pies de una mujer sentada al piso un pequeño puñado de cargamento, lo dejó a la orilla de una dulce galleta que la mujer tenía en un plato pequeño junto a ella, a sus pies, y con lo que el viento jamás podría haber contado fue con que el azúcar golosa de la galleta lo atrapó como atrapa a las pequeñas morusas indefensas. Ella, la mujer sentada cómodamente en un piso recubierto de alfombra, con dos cojines atrás de la espalda, tomó la galleta, dio un bocado, y el polvillo fino fue a dar a su boca malinterpretando todo el mensaje, cambiándolo en quién sabe qué, pero que en un principio tuvo la forma siguiente, forma que no terminó de ser por haber nacido de tan mala simiente:

(segundo fragmento de novela)

“Voy a escribir una novela, una novela de la complicidad entre tres amigas. Las tres son totalmente distintas, pero también tienen un enorme territorio de sus almas que es patria común, no sé si sólo porque Casualidad las ha arrojado al mismo tiempo y a la misma ciudad.

"A las tres las conozco muy bien, yo, la escritora, en la vida real. Sé qué tomar de cada una de ellas. Primero, de cada una, la mitad del nombre, para practicar un acto fetichista. Segundo, de las tres, esa graciosa ilusión de la amistad, el mundo que se han hecho juntas. Tercero, de cada una, rasgos de su carácter caricaturizándolos. Cuarto, de las tres unidas, una noche de cómplices. La amistad en su expresión más primaria y al tiempo más exquisita: la plática.

"Voy a escribir una novela en que atrape, muestre, solidifique la nube de la amistad. Llena de humor. No banal sino honda y ligera: en los gestos y las posturas se refleja el alma. No es necesario describir o explicar más, con decir hacia dónde está mirando se sabrá la postura de su corazón.

"Un retrato de almas en una noche divertida, llena de bromas y borrascas, pero serena, si se me permite la cursilería, consoladora, una novela que sea un abrazo, en la que el lector sea también acogido por la suave onda de la amistad. Que lo envuelva el tufo de la camaradería. Que en el lenguaje, en la plática y en la descripción del entorno se solidifiquen los años que ellas han necesitado para alcanzar el territorio de su intimidad.

"Digamos que, si la charla es en ellas puros sobreentendidos, guiños a otros días en común, la escritora (que soy yo) muestre, con economía de líneas, con calidez, el marco en el que la charla se entiende. Las palabras de la escritora reunirán lo necesario para que el lector pueda hacerse amigo también.

"Literatura cálida, arropadora, que, cerca del final, tendrá una intromisión que la desmantelará y la hará desvanecerse: la aparición de Moctezuma II en el lugar por el que ellas van pasando. Testigos de que el tiempo puede romperse, las mujeres miran desconcertadas cómo ni la muerte existe y salen disparadas de la cuna acogedora de su amistad, hacia la frialdad inhóspita del desconcierto. Saben su pequeñez, su estrechez de miras, el campo común que han cultivado para entenderse se disuelve en nada.

Como me toca ser franca, porque a fin de cuentas esto solamente lo escribo para mí, debo decir que imagino muy bien el trecho final de la novela, pero que en cambio me parece imposible todo el cuerpo, el primer cuerpo, el de la amistad. Porque qué demonios de literatura puede ser ésa, esa en la que los personajes escuchan y comprenden entre sí las palabras y no hay distancia, o por lo menos hay la ilusión de que entre ellas no hay distancia y de que en dicha ilusión va la mirada del escritor clavada, como la espada en el toro, clavada, y no provoca sangre o derramamiento.”

V

(Sí, sí lo vieron. ¿Pero qué vieron? ¿Al que estaba acostado en el pasto cortado a ras del piso, tendido sobre la piel curtida y las plumas de águila, tirado fuera del tiempo?, ¿o a quién vieron, si por ahí corrían tantas imágenes? Había demasiadas que ver, pero no había sobre qué verlas, como si la materia del Parque Hundido no sirviera de pantalla para recibir los haces de luz de las proyecciones que los años, de pronto sin rumbo, desbocados, salidos del redil del tiempo, burlones, quisieran mostrar, exhibiendo sus enaguas aquí y allá, sin fortuna, porque nadie parecía saber cómo abrir los ojos para mirárselas.)

(Sigue Laura:)
Nos despertamos de golpe y por un momento parecimos despertarlo también. Dio un brinco, así acostado, como estaba, casi sin levantar la cabeza, respingó al vernos, saltando en posición horizontal y de cuerpo entero.

A mí me entró el ánimo festivo, me regresó, fuera de lugar. No sé qué vi en él que me volvió el alma al cuerpo. Olvidé la piedra que me habían robado los del parque y en la que yo apoyara el pie para bajar sin entrar por donde no había escalones o barda. Y, lo más importante, olvidé todo en relación al amor, olvidé cuánto había llorado, y me olvidé a mí.

Margarita fue la que habló primero.

—¿Qué es?

—¿No ves? —le contesté—, un señor.

—Pero muy raro —agregué después de un momento de silencio. El hombre era, no sé si en ese momento lo supe, hermoso. Vestía (¿cómo lo explico, para que ustedes me entiendan?)...

Él cierra los ojos, no quiere verlas. Ya tiene voluntad y el estómago revuelto y una sensación dolorosa de pesadez en la cabeza.

Tiene voluntad y la mirada confundida. No quiere verlas, ¿qué son?

Cerró los ojos: no encontró con qué compararlas. Y sí, al cerrar los ojos piensa que las tres vienen vestidas iguales.

Un rayo hiere esta frase en su centro.

¿Qué es lo que ve?

Sin proponérselo abrió los ojos.

¿Qué veo?, se pudo preguntar en pánico.

¿Qué es?

Pero no se pregunta nada y se afloja el cuerpo en la marea del miedo. Primero lo detiene, como si de natural el cuerpo resbalara por una pendiente y éste dejara súbito de hacerlo. Después, abrirse, desagradablemente. ¿Qué es lo que ve?

Una construcción hiere el cielo. Brilla y es monstruosa.

En el parpadeo, ellas se soltaron a hablar, rápidas, nerviosas.

Abrió los ojos y, en comparación con aquello en el cielo, sus rostros le parecieron cálidos.

Una de ellas se agachó para tocarle la cara con las manos. Pasó la palma de la mano sobre su piel y sintió un gran alivio.

Hasta entonces se dijo a sí mismo "me arde la piel". "Me arde la piel." "Todo el cuerpo me duele, me duele." El efecto de sus palabras describiendo un tiempo que ellas no habían tocado, se unió al gusto de la mano fresca que acariciándolo le curaba la ardiente piel y olvidó el pánico, tanto que pudo haberse dejado caer de nuevo por la cuesta del sueño, cuando sintió cómo la mujer enorme lo alzó del piso y lo cargó en sus brazos mientras las otras dos hablaban y reían, hablaban y reían...

—¿Adónde lo llevas?

—¿Adónde va a ser? Lo llevo conmigo, donde yo vaya. Es mío.

Náusea, miedo, náusea, miedo, incomodidad, dolor del cuerpo. Miedo, angustia, congoja, tristeza y en el fondo de esto, escondido como en el fondo de un cajón revuelto, una ligera sombra de alegría: "Estoy vivo", una sombra que de asomar era de bulto aplastada por el miedo, la náusea, la incomodidad, el dolor del cuerpo, la tristeza y el pánico, tal vez el pánico con mayor peso que lo demás. Es fácil imaginarlo: despertar después de muerto, despertar en otro sitio, en otro tiempo, entre tres rostros extraños, extranjeros del todo, y encima de lo ya dicho un barniz de violencia, dolor del cuerpo, dolor de parto en un cuerpo adulto, acabado de pasar por el canal de la sangre, los apretujones, los crujidos de huesos. Un segundo nacimiento. Miedo, angustia, congoja; es fácil imaginar...

Para él hubiera sido más fácil despertar encarnado en el cuerpo de un colibrí, revoloteando en el cielo conocido, acercando su largo pico a las flores que con sus ojos de persona él había observado. O, al despertar, verse ignominiosamente alimentando con su carne y su sangre a los malos espíritus, a los espíritus viles. Hubiera sido más fácil...

Miedo, angustia...

(Sigue Laura:)

Todo en él era extraño. No que pareciera disfrazado, ni vestido así parecía disfrazado: me acerqué a tocarlo. Llevaba unos gruesos aretes en las orejas y algo le impedía cerrar bien la boca. Él estaba aturdido. No adormilado sino embotado. Me miró con los párpados entreabiertos mientras que yo, sin ningún recato, como una niña, miraba qué era lo que no lo dejaba cerrar la boca: sostenía entre las dos mandíbulas una redonda piedra pulida, un enorme jade verde y en los dientes tenía pequeñas piedrecillas empotradas, para ser precisa en la corona de cada diente, como guardadas donde el barniz debiera terminar en filo. Sentí preocupación, ansiedad, de que esa piedra lo fuera a ahogar, y se la saqué de la boca, usando los dedos como pinzas.

Toqué la ropa que vestía de tan rara manera. Vi lo que calzaba, no eran zapatos, era como si lo hubieran vestido donde se visten niños dios. Claro, todo con materiales finos. Como si Carlos Pellicer hubiera mandado vestir su niño dios, la imagen del Jesús recién nacido que adorna el tradicional Nacimiento en la Navidad y que se lleva a bendecir a la iglesia el día de la Candelaria, previo haber vestido, adornado a los niños dioses. Ese mismo día, los que obtuvieron el muñeco escondido en el pan de día de Reyes, la rosca de reyes, guisan tamales y convidan a una fiesta. Pero su adorno era demasiado elegante; alguien más exigente que Carlos Pellicer, o alguien muy rico, como la esposa de un presidente, tendría que haber mandado el niño dios a vestir para que se pareciera en el atuendo a este hombre.

Pero no llevaba un vestido, como el del niño dios, sino telas bordadas anudadas al hombro, y la pintura en su piel no se asemejaba a ésa como de prostituta de los niños dioses o niños dios, como se diga, sino con no sé qué, tal vez con los adornos de un hombre "primitivo" Traía un adorno con plumas en los brazos y un trozo de cristal que contenía una pluma de colibrí pendiendo al pecho... En la mano, un absurdo ramito de flores, como abanico. Al lado de él, tirado al piso —supe qué era porque olvidando un poco al personaje que tanto me intrigaba, levanté lo que estaba ahí tirado y lo reconocí—, un palio, tenía dos largas varas para que lo sujetaran, una como casita de tela barrocamente adornada, el piso liso de tela y de petate, o mejor aún, como de canasta, y las paredes adornadas con piedras, bordados, plumas, pero no bordados como los que se aprendían a hacer en las escuelas de monjas ni como los que hacen las mazahuas en las esquinas de la ciudad mientras venden chicles y dulces en las bocacalles entre los cambios de luz del semáforo, sino bordados lujosos, cómo lo explicaré, había la paciencia de la escuela de monjas, lo vistoso y sabio de las mujeres que en nuestra miseria no han perdido el alma y además algo que mis ojos nunca habían visto.

Alcé los ojos para volver a verlo. Pensé: es un indio inmensamente rico. Recordé que los concheros tenían un rey, un principal, que éste actuaba como un poderoso (o que por lo menos así me había dicho una amiga que trataba de pescarlo para incluir una entrevista con él en un documental) y pensé que algo tendrían en común pero de inmediato lo deseché. Me acordé de los concheros (mi abuela los llamaba 'danzantes') bailando a un costado de Catedral o a la entrada de la Villa con las ropas burdas, hechas con descuido, sobre todo descuidadas, andrajos al lado del milagro de lo que este hombre traía consigo y puesto. Andrajos sus penachos, sus taparrabos, andrajos sus huaraches, andrajos los pendientes con que adornan sus orejas y los estandartes andrajos también.

¿Y qué le pasaba?, ¿por qué no abría los ojos bien? No me atreví a quitarle el tocado o sombrero (o lo que fuera eso que traía en la cabeza) y aunque todavía detenía en los dedos la piedra que le había quitado de la boca, ya no me atrevía a acercarme porque sentía no sé qué de ver la nariguera que le atravesaba el tabique nasal y que parecía ser de turquesa, y sus aretes eran algo demasiado ancho y en el labio inferior tenía incrustada otra piedra, aunque hubiera querido acariciarle la cabeza porque en su cara había un gesto de dolor, como si estuviera a punto de llorar...

Con los párpados entreabiertos, revisa lo que le rodea, saltándoselas. Revisa la construcción (la nombra en silencio "La torre inmensa") con detenimiento. Ve su brillo, triste, sucio; baja la vista y pone en cada árbol su nombre, reconoce casi todos en las hojas y los troncos. Baja más la vista: ¿por qué habrán sembrado tanta planta inútil, que ni da flor ni perfuma? Las únicas flores cercanas las tiene él sujetas en la mano. Las acerca a su cara. Abre los ojos para ver el ramo. Fija la vista en ellas, pero llama su atención la blanca celosía que han puesto entre las plantas y el camino. Ahí donde termina el sendero y empiezan las plantas la han puesto otra vez, como si temieran que las yerbas se fueran a echar a andar.

Regresa a sus flores y oye las voces de las mujeres, voces sin pulir, a veces gritadas, hablando rápidas, como si nadie les hubiera enseñado a hablar.

Y el dolor de cabeza. ¿O le dolía todo? Todo le dolía... Cerró los ojos.

—Ya lo dije, lo quiero para mí. Lleven ustedes el palio y yo lo cargo a él.

Laura tiró la piedra pulida que él tuviera entre los dientes y lo cargó con los dos brazos.

Señaló a sus amigas, con un movimiento de cabeza, las plumas de águila y la piel de jaguar que habían estado bajo de quien traía en brazos. Al recoger la piel de jaguar, Luisa vio un objeto pintado y tallado, tal vez de piedra, con tapa, y pensó: "Esto es una urna funeraria". También la llevó consigo.

Él aceptaba que ella lo llevara como un niño pequeño y, apoyada bien en sus pies descalzos, pasos más allá se recargó, y a él en sus piernas en una banca de hierro forjado frente a la enorme estela de Quetzalcóatl, para acomodarlo en sus brazos, mientras las otras dos iban avanzando hacia el coche.

—¿Estás segura de que puedes con él? Te ayudo.

—Yo puedo, ahora voy. Si no, que camine. Pero ni lo toques, es mío.

Acomodó toda la ropa que él vestía. Le quitó el tocado y lo puso en sus manos.

—Detenlo, no me deja ver. Agárralo bien —le habló como a un niño chiquito—, no se te vaya a caer.

Él abrió los ojos. Vio el rostro blanco que le hablaba con ternura. Alzó la vista, topó con una piedra enorme, a medio tallar, con la serpiente emplumada y el signo Dos Conejo. No era a medio tallar, aunque eso pareciera, sería una estela antigua, pero no parecía ser antigua aunque estuviera tan lastimada, y estaba sin pintar.

—Sujétate bien.

Ella se levantó con él en sus brazos y empezó a subir por el sendero de cemento que cruza por los prados del Parque Hundido.

Desde ahí se veían los edificios frente al Parque, los altos que hay en Porfirio Díaz, las casas, los automóviles estacionados, los cables de luz, los laboratorios Frontera, un salón de belleza y pasaron dos coches en dos distintos sentidos. Sin nombrar nada, él miró: sus pupilas se habían vuelto huecas de la impresión. Si alguien lo hubiera mirado a los ojos, no hubiera podido comprender tanta sorpresa atónita de un golpe, el hoyo que había formado en la mirada el asombro.

Él no pudo contenerse y estalló en llanto.

—Ya, no llores, ahora te llevo conmigo, ya todo pasó...

Atrás de las lágrimas él no podría ver nada. El mundo se había inundado, un mundo que él no conocía y por el que la enorme mujer lo paseaba en sus brazos. No supo que ella lo metió al coche, casi aventándolo, y que saltando sobre él, se sentó a su lado en el asiento trasero.

—Ahora dime, ¿dónde vamos? —dijo Margarita encendiendo el auto—, tú mandas, vamos, di dónde.

—Sigue de frente. Por Insurgentes, que es más bonito. Llévame al centro.

—¿Cómo que llévame?

—Sí, yo voy con él. Ustedes me acompañan.

Y, diciendo esto, con un pañuelo desechable arrugado le limpió las lágrimas y de paso gran parte de la pintura de la cara.

Lo limpió y lo volvió a limpiar. Parecía que el tipo no iba a dejar de llorar nunca.

Le quitó las pesadas orejeras y la nariguera. Lo tapó bien con sus mantos y miró cómo él soportaba malamente y sin comprenderlos los golpes del caminar del coche. Le dolía el vientre, la cabeza. No sabía dónde poner los pies.

Ella lo acomodó, acurrucándolo junto a su brazo. Lo abrazó y le cantó como a un bebé, mientras Margarita y Luisa, incómodas, desveladas, crudas, ligeramente enojadas, no sabían qué hacer. Sólo querían con toda su alma meterse a una cama a dormir y separarse de la loca que traían en el asiento trasero. Con su raro acompañante. Mira nada más lo que esta vez se había levantado, era el colmo, qué bárbara esta Laura...

—El coche, ya no llores, ya pasó, vamos en el coche.

Coche, coche. Coche...

Coche, repitió él, en voz baja, coche, en voz más alta.

—Sí, vamos en el coche, no te voy a hacer nada, deja de llorar. Ya, sereno.

Luisa espetó desde el asiento delantero:

—¿Cómo crees que llora porque te tenga miedo? No seas mensa.

—Velo, está aterrorizado... ¿Saben qué? Vamos a la casa. Yo lo quería llevar a pasear al centro, a ver si desayunábamos en el Majestic, mirando Catedral. O no, mejor sí vamos al centro...

—Al Templo Mayor, sería más apropiado para tu acompañante de hoy.

—Pero no es precisamente un indio, míralo.

—Hija de mi alma, es un indio, un indio, ¿a quién le puede caber duda?...

—¿Dónde habías visto un indio así?

—Nunca, pero...

—No hay pero. Quién sabe de dónde salió este tipo, pero creo que no llegó aquí por su voluntad. Vamos a llevarlo a la casa, a ver si se tranquiliza.

—Siquiera pregúntale cómo se llama, no me importa que sea o no sea indio, ya parecemos nuestras abuelitas deseando un nieto de ojo azul, no creas que lo que te digo de él es, despectivamente, que sea indio, no... Lo que pasa es que es un reverendo desconocido, no sabemos nada de él, ni quién es, ni qué hacía tirado en el parque, ni cómo fue que se dejó cargar por ti, subir al coche... Siquiera pregúntale su nombre, anda...

—Yo me llamo Laura. ¿Cuál es tu nombre?

Con un acento y una manera de pronunciar que ellas nunca habían oído y no habían imaginado, él contestó:

—Motecuhzoma Xocoyotzin.

Lo repitió tres veces, como si supiera el efecto que provocaba en nosotras su nombre.

—El Tlatoani de los mexicas —dijo Laura.

—Motecuhzoma Xocoyotzin, Tlatoani, Tlacatecuhtli. De la misma manera debe decir en castilla.

Margarita manejó en silencio hacia casa de Laura, como Luisa molesta, temiendo que el tipo fuera un loco.

(... algo parecido al vértigo, zum, zum, porque las cosas pasan junto a coche, vertiginosas. No le daba tiempo de fijar la vista en nada cuando ya se habían ido de ahí. De pronto se detenían y el efecto era peor: cuanto desfilaba a sus ojos era de todo punto incomprensible: los objetos, las construcciones, el piso, los otros coche, las figuras humanas vestidas de extrañas maneras y desesperadamente delgadas, de pie y blancas, mirando hacia la calle, acomodadas en nichos de las construcciones...)

Los objetos hablaban por sí solos: el tipo no era un loco. Era un rey. Claro que era un rey. Laura se sentó a la distancia necesaria para poder verlo y también guardó silencio. El Tlatoani dijo coche, de nuevo, como si con la palabra conjurara la incomodidad que le provocaba el viaje vertiginoso en todo el cuerpo. Pero la incomodidad parecía desaparecer de la piel y adquirir otra forma, que, semejándose a la náusea y al mareo, parecía afectar, más que al cuerpo, al entendimiento. Margarita detuvo un momento el automóvil para acomodar el asiento. Bajó el respaldo y el Tlatoani clavó la vista en un solo objeto, el semáforo en el momento en que cambiaba a color ámbar, y de inmediato a colorado. Y el Tlatoani sonrió, se rió y hasta sonó su risa cuando volvió a verlo cambiar de color. Se oyó su risa, apagada y luminosa.

—Se llama semáforo —le dijo Laura cuando entendió de qué reía—. Él manda sobre los coches, les dice cuándo parar y cuándo continuar caminando. Es una seña. No tiene vida propia. Es una cosa, es un aparato, es —volteó a ver a sus amigas—, ¿cómo le explico?

—Semáforo, semáforo —repitió él en voz alta.

Margarita dejó de atender el acomodo del asiento y volteó a verlo. Laura abrió la puerta del coche y lo incitó a bajar:

—Ven, mira por fuera el coche. Esto es el coche, coche, coche —repitió señalándolo—, y esto es el semáforo. Semáforo, semáforo. Otra vez cambia de color...

La risa del Tlatoani se escuchó de nuevo. Entonces observó el coche, tocó los cristales, se agachó para verlo mejor y cuando se deslizó en silencio hacia atrás, le dijo a Laura:

—Rueda.

—Claro que rueda, subamos.

—¿El caballo con el cual camina?

—No, no lo jalan caballos. Tiene allá adentro una maquinaria que lo hace avanzar, cómo, eso es algo muy complicado, ni yo lo sé...

—No tiene caballos.

—No, hace mucho que los carros no son jalados por caballos. Se impulsa con un combustible, un motor, aceite, un montón de cosas. Yo no sé...

Moctezuma la miró con una expresión que parecía decir "No tienen importancia tus palabras", la tomó de la mano y subió después de ella. Laura estiró el brazo frente a él para cerrar ella la puerta.

El terror y la angustia lo habían emborrachado.

(Habla Margarita:)

Paseo de la Reforma. Vamos a enseñarle a Cuauhtémoc, a ver qué dice. Pero se paró frente a la estatua y no dijo nada. Por más que Laura le dijo "Es Cuauhtémoc, le hicimos su monumento", pero ya parecía decidido a dar importancia a cuanto veía y poca atención a nuestras palabras, como si, aunque comprendiera en gran medida el español, lo verdaderamente incomprensible fuera lo que nosotras le decíamos. Manejé a vuelta de rueda, le señalamos las estatuas que hay a los costados del Paseo y yo quería decirle cómo se llaman, el nombre de todos a los que reproducían, pero no me sabía los nombres; como queriendo combatir mi tontería, detuve el auto frente a una de las estatuas y le leí el nombre, era uno de los que redactaron la Constitución, y le dije a Moctezuma quién era, tratando de darme a entender y me miró a los ojos y me dijo:

—¿Cuauhtmoctzin?

—No, para nada.

Me di cuenta que él veía todas nuestras estatuas iguales, la inmensa que reproduce a Cuauhtémoc con un raro penacho vertical y una lanza a punto de escapársele de las manos, y las pequeñas estatuas que bordean el Paseo de la Reforma, vestidas con casacas y pantalones entallados, usando lentes y barbas de candado, algunas con libros en las manos y las manos atrás de la espalda. Las estatuas le parecían iguales; no las diferenciaba, el bronce de que fueron forjadas era más importante que la forma que reproducían. No creo tampoco que le causaran impacto o asombro; no creo que le parecieran bellas. Le parecían iguales e incomprensibles y no entendía por qué se las enseñaba con tanta insistencia. Más le impresionaba lo demás, más miraba la disposición de la calle, los otros autos, el camellón al centro, los edificios, los aparadores, la gente (poca, era muy temprano) que caminaba a pie por las enormes aceras, alguna parejilla sentada en una banca, los letreros de los anuncios, los dibujos de los anuncios. Entonces, porque todo esto lo pensé en un segundo, me di cuenta de por qué me preguntaba si eso era Cuauhtemoctzin, y, nerviosa, cómo me reí de su pregunta. Él también sonrió, con un gesto que parecía coqueto y parecía decir "Yo lo merezco todo, yo todo lo tengo", como si él, suponiendo que fuera el Tlatoani salido de otros siglos, fuera todavía quien gobernara el imperio, la región donde estaban los cimientos del cielo.

Discutimos entre nosotras pensando dónde lo llevaríamos. Ya ninguna quería deshacerse de él. Quién sabe quién era; era obvio que no conocía nuestra ciudad; había en él, no sólo en los objetos que lo rodeaban, algo que nos parecía ajeno, no está mal si uso para describirlo la palabra extraordinario, eran extraños sus gestos, era extraña su voz. Hasta yo ya creía que él hubiera podido ser, si no fuera imposible, el Tlatoani Moctezuma.

Decidimos llevarlo a casa de Laura, dándole antes una vueltecita por el centro, ya que estábamos enfiladas hacia allá.

VI

El viento continuó avanzando, sin alzar la cabeza, pegado al piso, rastrero, pertinaz, constante. El viento siguió llevando aquella arenilla imperceptible en que se convirtieron las mujeres que reventando en carne reventaron en arena, insostenibles en este tiempo. El viento avanza, avanza, se dirige... El viento sigue, acariciando tobillos, rozando los cauchos de las llantas de los automóviles, oliscando los troncos de los árboles cuando se convierten en raíces, pasando como un soplo al pavimento. El viento sigue avanzando, sin cansarse. Se posa aquí y acá, pero no se detiene. Se posa, dice "aquí estoy, cuidado", pero nunca para. Está para estar. Recorre la ciudad con celeridad y reconociendo los grandes mercados hundidos en yerbas pudriéndose al sol, los mercados de anchas avenidas para los que compran al mayoreo, los mercados de puestos al aire libre y montañas de elotes, los mercados bulliciosos donde nada llega envuelto más que de su propia cáscara, y ni esto a veces: los elotes sin hojas exponen los granos, muestra de los de los cerros de mazorcas que reposan bajo ellos, las tinajas de zanahorias, los mazos de flores, las papas en volúmenes tales que siendo sin olor perfuman el aire con olor a papa, el rancio olor de la papa, y las cebollas acomodadas mirándonos como ojos ciegos en interminables pasillos... Ahí fue el viento, recorriendo el gran mercado de Jamaica entre las húmedas hierbas que parecen volver escudillas de sopa fría a los pasillos del mercado... Recorrió el vientecillo, oliscando, como queriendo comprobar si la huella del gran tianguis había sobrevivido a los siglos de los siglos o si había sido reemplazada por esa nueva idea del mercado, el supermercado, el que en nada se parece a aquel otro mercado, aunque el color de las ropas, las risas, los corrillos de gente, las charlas de los marchantes son reemplazados por el color de los envases fastuosos de los alimentos, como si para practicar la compra y la venta necesitáramos apoyarnos en adornos rituales...

El vientecillo siguió adelante. Aventó de nuevo otro puño a los pies de un atolondrado escritor, enviándolo en un chorro de viento tirado a morir, y ésta fue la constancia que dejó:

(tercer fragmento de novela)

"Piedras. Sólo piedras talladas, rotas, fragmentadas, astilladas o intactas las molicies mudas parecen mirarme con sorna.

"Puedo averiguar de qué colores eran, cómo estaban pintadas las figuras en relieve y las superficies lisas. Pero, ¿cómo eran?

"Miro la maqueta que reproduce el corazón de la ciudad y trato de imaginar dónde iban las piedras que me rodean, desproporcionadamente enormes en la sala del museo.

"Miro y vuelvo a mirar. Cierro los ojos y pienso: total, todo pasado no es más que una piedra, tallada o no, en fragmentos o intacta, todo siempre fuera de proporción y sin sentido hasta que entra en la novela.

"El recuerdo es carne de la novela. El olvido es armonía.

El recuerdo es violencia. El olvido es serenidad. Incluso estas enormes e indescifrables piedras no son nada en el olvido, ni guijarros tirados al lado del camino. Estarían enterradas. El recuerdo desentierra. Saca los muertos al sol. Nos hace carne de muerte: carne para novela.

"Suelto la imaginación sobre la mirada que pongo en la falda de la Coatlicue, la falda de serpientes. Y no puedo más que asustarme.

"Reconozco que el terror que siento no sería el que me inspiraría si yo la viera allá donde estuvo, donde fue como era, rodeada de quienes la tallaron y para lo que la labraron.

"Cierro los ojos y veo la soledad del novelista: a solas en el terror, escribiera de lo que escribiera, todo sería piedra, piedra a secas, sin pintar, fuera de lugar y proporción. Lo que yo tocara tendría que ser animado por mis palabras, sacándolo del gélido temor sin sentido. Es mejor trabajar con mentiras como materia prima, con piedras reales y no con recuerdos personales: ésos son carne y realidad, para usarlos el novelista los saca de contexto, los fragmenta, los rompe, los despinta, los vuelve piedras, sólo piedras...

"Así que no debo dudar en continuar escribiendo mi versión de la vida de Moctezuma II. No tengo de qué dudar, siempre he trabajado con piedras, siempre he tratado de indagar (en la sabiduría ajena y en la fantasía) cómo eran esas piedras de las que escribo cuando estaban coloreadas, recubiertas de plumas, piedras preciosas, piedras pulidas, vivas, útiles, sonriendo o llorando entre los hombres.❞

El viento siguió adelante, agachado pero altivo, avanzando sin mirar ni oír. El viento siguió adelante...

VII

(Habla Luisa:)
Margarita disminuyó la velocidad del automóvil cuando llegamos al Palacio de las Bellas Artes y él pidió con la mirada que nos detuviéramos. Se bajó del automóvil, se acercó a las paredes de mármol y tocó el edificio, se retiró unos pasos y miró los ángeles esculpidos, las figuras que están en el edificio del Palacio de las Bellas Artes y en las que yo, la verdad, nunca había parado mientes. ¿Quieres ver el lugar por dentro?, le pregunté, y me miró con tal cara que entre las tres le explicamos que sí, que se podía pasar y le dijimos que eso era un teatro y Laura pausadamente le explicó lo que eso significaba. Ahí nos mencionó por primera vez a Orteguilla, dijo: "Orteguilla me había dicho, pero no imaginé teatro así", y preguntó, parado frente a Bellas Artes —al lado de la calle anchísima que fue San Juan de Letrán y ya no lo es, porque le han cambiado el nombre y la han cambiado a ella misma, ahora es un "eje vial", anchísima avenida llena sólo de coches, hostil para los ríos de personas que pasan por él—: "¿Dónde estamos?, ¿qué ciudad? ¿Sevilla?" Yo le contesté con otra pregunta:

—Usted, ¿de dónde viene?

—¿De dónde he de venir? Soy el Tlatoani. Mis palacios están en Tenochtitlan.

Laura le contestó entonces, tomándolo de la mano, "Está usted en Tenochtitlan, pero mucho tiempo después", y como él pareció no escucharla, ella repitió "Estamos en Tenochtitlan, en otros tiempos, en otra era, en otros años" y él le preguntó quién es ahora el Tlatoani, quién gobierna, y si no es mexica de qué ciudad es el que nos gobierna y si acaso era Carlos el de Cortés y agregó "Dónde están los templos, tengo que presentarme ante los dioses" y yo no sabía si creerle pero Laura lo miraba sorbiendo sus palabras y nos decía, primero con los ojos, luego en voz baja, intercalando en las palabras de él: "¿No se dan cuenta?", "Es asombroso", "Es Moctezuma". Junto a una de esas frases Margarita dijo "Es un loco qué", y él contestó:

—Una vez un hombre me llamó perro. Hernando Cortés lo hizo azotar. A Motecuhzoma no debe llamársele "loco" —y Margarita lo miró a los ojos y Laura le exigió que se disculpara y Margarita lo hizo y empezó a creer también, yo claro que creía, soy antropóloga, conozco bien el arte indígena y he visto muchas piezas, pero nunca cosas como las que él traía consigo, vaya, ni en los museos ni en las colecciones privadas ni en los lugares donde aún las hacen las he visto, en ningún lugar las he visto...

(Sigue Luisa:)
Entonces Laura se quitó el suéter para que él caminara pisando sobre el suéter de ella y le pidió a Margarita el suyo y a mí la chamarra de mezclilla y con toda esa ropa iba haciendo un puente para que su Tlatoani pisara con sus "cotaras" de oro y pedrería, porque claro que era oro lo que el vestía, claro que sí, y mientras acomodaba los suéteres y la chamarra en el piso iba diciendo: "Perdone su señoría, no lo habíamos identificado, pise usted por aquí". Subimos al coche y Laura le iba explicando que ya no había templos, que había cambiado todo y el buen humor que él empezara a manifestar, incluso a pesar del "loco" con que lo apeló Margarita, se empezó a evaporar ante nuestros ojos... Yo lo más que dije fue comentar a Margarita:

—Sospecho que sería peor llevarlo a Catedral, o tú qué crees,

mientras ella ya lo había decidido, nos dirigíamos al Templo Mayor, pero su falta de astucia para moverse en el primer cuadro de la ciudad no nos llevó directamente a la puerta de la reja que lo cerca, sino que topamos con una calle que pasa paralela al Palacio Nacional y desde lejos Laura guardó silencio cuando yo le decía:

—Ahí estaba el Templo Mayor,

hasta que no pudo guardarse para sí su comentario y desde el asiento trasero me habló enojada:

—Para qué le dices, para qué quieres lastimarlo

y él sólo alzó hacia ella la mirada, generosa y limpia, sonriendo, como agradeciéndole él no sabía qué o su amabilidad y Margarita arrancó de nuevo el carro. Nos dirigimos directamente a Coyoacán.

(Sigue Luisa:)

Topamos en algún momento con las esculturas que reproducen la escena mítica de la fundación de Tenochtitlan, a un lado del Hospital de Jesús, donde dicen que está enterrado Cortés, donde por primera vez se reunieron Cortés y Moctezuma. Eso sí se lo señaló Laura y él miró las esculturas con asombro, aparentemente sin comprender qué representaban y preguntó "¿Es Cuauhtmoctzin?" y ahí no me sonreí ni nadie se rio porque en su pregunta se adivinaba un ligero tono de desesperación y volteó de nuevo a Laura y le preguntó que cómo podía ser esto Tenochtitlan, que no había lago, que no había canales, que el aire incluso era distinto, y alzando la cabeza al cielo, sacándola por la ventana del asiento trasero, dijo: "Al cielo entonces lo habéis cubierto con manta fina", y después señaló los montes para mostrarle a Laura que esos montes no eran los que rodeaban a Tenochtitlan y Laura tomó su mano entre las dos de ella y le dijo "Es mejor que no te explique" y en un santiamén, porque a esa hora no había ningún tránsito, si serían como las ocho de la mañana de un domingo, llegamos a Coyoacán.

VIII

¿Quién podría darle importancia, quién? Es verdad que nadie.

En la ciudad más habitada del mundo, un vientecillo se arrastra por el suelo, no alza la vista, camina caído, pesado y correlón, ¿quién puede darle importancia?

De haber sido mudo, como es siempre mudo el viento, a nadie le habría importado... De haber sido mudo... Pero la garganta del viento insignificante era una garganta feroz, una garganta sangrienta, anónima y voraz, sin cuerpo y deseosa de otros cuerpos. Va cobrando cuerpo, la garganta del viento, y al pasar por los pies de los que van pasando o de aquellos que consigue en su tropiezo los va infectando, como si en lugar de ser viento fuera el turbulento paso de un infeccioso, contagioso virus o de una bacteria, o de un hongo que al pasar plagara, que al plagar no perdonara a nadie ni a nada... De haber sido mudo no sería más que un estúpido viento incapaz de remontar altura, nada más que un viento imbécil, fardoso, vergonzoso, un viento a medias, un viento burocrático, bostezón, medio a medias, entredormido y entrevivo, un viento de nada.

Pero no era un viento mudo. Y si es posible reseñar su paso entre las personas que dejaron constancia de su visita —y que por esto lo tomaron con mayor ligereza—, es imposible decir cómo fue la simiente de la infección entre las otras, las que no hablan sino sienten, las que actúan, a su pesar, con un trasteado deseo de mirar hacia otros tiempos, a cuando un imperio gobernaba el cielo y la tierra desde lo que ahora es su propia tierra empobrecida, a secas pobre, sin poder, y con una melancolía arrogante que no se atreve a serlo...

Pero un viento así, mudo y no anónimo, un viento que casi no camina y avanza, un viento así no pertenece a un país o a una patria... Aquí y allá sin disolverse, va dejando la forma de un pasado que nadie quiere ver, que no detesta ni ama ni al cual se arrima, un pasado que no es nada porque no tiene memoria, porque empequeñece. Un pasado que, al no ser recuerdo, vuelve un criminal al que hoy encarna su presente. El que no tiene memoria es un asesino y puede matar, y mata...

Me he ido demasiado rápido, ineficaz, sin tomar la moraleja del viento que no para nunca ni corre ni se detiene, del viento que avanza imparable, impoluto, incorruptible, incomprensible, necio, el viento con voz pero sin garganta. Me he ido demasiado rápido, no he comprendido la moraleja singular de tal viento, la lentitud y la insignificancia como armas mortales, no he entendido que pasar sin que nadie lo note, inadvertido, es la mejor arma. En cambio, yo que quiero decir el discurso, la explicación, y la digo de un golpe, sólo consigo amontonar tontos, confusos, atolondrados pensamientos de quinta, como casi todos los pensamientos cuando se muestran sin armar, tal como son...

Me he ido demasiado rápido: no he podido explicar que el viento provocado por los dioses atrapados por el veneno, atollados en los pasillos del hormiguero, sin por dónde salir a ser otra vez, que ese viento, al levantar lo que no fue mujer, lo que no tuvo con qué seguir siendo mujer, se volvió un espíritu anónimo y podrido que envenenó cuanto pudo el alma de los veinte millones que habitan la ciudad más contaminada del mundo, la más habitada, la más insostenible... Los veinte miran hacia atrás, y cuando miran al frente no es a ellos a quienes miran, sin darse cuenta, sin importarse a sí mismos, en su monstruosa habitación de mil rostros... Ponen esa cara con que creen que son dueños de todo el planeta y esclavos del planeta entero (en un solo gesto), en la frontera del que creen el país más fuerte del planeta, estúpidos, estúpidos, dejándose engañar por un viento podrido que con nada más que con lo que son podría corresponderles...

Y entonces alguien escribió lo siguiente:

(cuarto fragmento de novela)

“Pero, ¿qué se me ha vuelto Moctezuma? La posibilidad de hacer una novela ‘fantástica’. Novelaría la cosmovisión nahua: manera tan distinta de ver el mundo que es simplemente fantástica. E imbricaría lo fantástico con el relativo ‘realismo’ de los otros personajes: la mirada del amor, personificada en una de las mujeres que lo recogen, etcétera. El elemento realista en los personajes del siglo veinte y en los españoles de hace cinco siglos, el elemento que he calificado como fantástico del mundo nahua y en el alud de admoniciones que abruman a Moctezuma antes de y a la llegada de los españoles.

“En la fantasmería del mundo nahua es posible la reaparición de Moctezuma II: con perro y todo, incluso con dos mujeres que incineraron con él, pero que no resisten el paso, que se hacen arena apenas aparecen. Porque el ciclo del tiempo se repite.

“Habría mucha sangre, sangre antinatural, sangre entregada a los dioses. Habría muchos excesos, excesos antinaturales, excesos de Tlatoani. Habría la mirada de los que creen en los dioses como devoradores de prisiones, de los que creen que el sol no podrá salir si no se le alimenta, de los que saben que el lugar del hombre sobre la tierra no es la plaza de quien manda, de quien gobierna, de quien es el poseedor —como lo creemos nosotros—, sino de quien alimenta a los dioses para que el mundo exista: el último de los esclavos, el imprescindible.”

Las líneas anteriores estaban tachadas, con una raya ahorcando por el centro a todas las palabras, de la que sólo se salvaba un párrafo que explicaba así:

(del mismo cuarto fragmento)

“Mejor, Moctezuma no ha vuelto nunca. Moctezuma ha estado ahí, siempre, él fue el primer cronista que escribió, con alfabeto traído de Europa, la primera versión de la conquista de su imperio. Pero después de esto, eternamente viejo, viviendo en las montañas, siempre andaría por ahí, como si por haber visto tanta muerte hubiera tenido toda la ración de muerte que le correspondía en su vida. Se contaría su vida aquí y allá, se contarían sus encuentros, se hablaría de cómo ha visto cambiar los tiempos sin notarlos, sin percibirlos, fijo en su ciudad, aquélla, la que desapareció, la que fue el ombligo del cielo...”

Finalmente, viéndose el marqués con más de novecientos españoles y amigos que tenía, determinó un caso que aunque le dio otro color, Dios sabe la verdad, y fue que al cuarto del alba amaneció muerto el sin ventura Motecuzuma, al cual pusieron el día antes en un gran asalto que les dieran en una azotehuela baja para que les hablase con un pequeño antepecho, y comenzando a tirar dicen que le dieron una pedrada; mas aunque se la dieron no le podían hacer ningún mal porque había ya más de cinco horas que estaba muerto, y no faltó quien dijo que porque no le viesen la herida le habían metido una espada por la parte baja, con el cual achaque comenzaron a dar voces los españoles de que habían muerto a su rey; pero sucediόles al revés que entonces les batían la caza con mayor fuerza; y si don Fernando no se hallara en México con su ejército, sin duda que murieran todos.

Códice Ramírez

IX

Un cuarto grande, una sola habitación sin subdivisiones era a la vez recámara, comedor, sala, biblioteca, estudio, cada uno con su representación: la cama, sin duda reina de la casa, de cabecera y piesera de latón, cubierto el colchón con sábanas bordadas y edredón liso, color arena; una mesa de madera con un solo pie tallado de graciosa manera, rodeada de cuatro sillas distintas, una de respaldo y asiento de mimbre, otra de madera oscura, a diferencia de la anterior sin barniz, sólo encerada, con el respaldo enorme y el asiento amplio, pesada, casi imposible de cargarse, con sus cuatro patas gordas, tal vez toda de ébano, otra ligera hasta la cursilería, que parecía hecha de delgadas varitas de madera, y la última una inusitada Último Imperio, elegantísima y petulante; dos sillones para una sola plaza, un chaise-longue de cuadritos rojo y negro de lana, junto con una mesita de marquetería y una lámpara de pie de los años veinte eran la sala; la biblioteca era los libreros empotrados en casi todas las paredes de la casa, exceptuando las cuatro ventanas, las tres puertas, el ropero y aquella donde se apoyaba la cabecera de la cama: arriba de ella un enorme y hermoso cuadro reproducía, detrás de una puerta entreabierta, una cama, las sábanas dobladas de una esquina, como para recibir a alguien, el lienzo tenía en la parte inferior escrita una leyenda "no tengo cuerpo, sólo síntomas", firmada por Magali Lara; el estudio era un escritorio y un archivero, sobre el escritorio había, en lugar de máquina de escribir, una computadora y una pila de libretas forradas con tela, cuero, papeles de varios diseños... Al pie de la cama había una mesita baja con dos pilas de libros grandes de portadas vistosas, igual que sobre el archivero, sobre la mesita de la sala, al pie de un sillón y sobre uno de los tapetes que cubría el piso de duelas de madera de la casa. La ventana grande daba a un enorme jardín al que Laura no tenía acceso porque pertenecía a otra casa, un pequeño bosque espeso. Otra ventana, al lado de la mesa del comedor, era más bien un hueco, a un lado de la puerta que comunicaba la habitación con la cocina. Otra puerta, al lado de la ventana que daba al patio interior, tupido de macetas, daba primero al patio cubierto y un paso después al baño, un baño blanco, todo blanco, lleno de luz.

Ésta es la casa a la que entraron Laura, Margarita, Luisa, Moctezuma y la mayoría de los enseres que habían sobrevivido, como él, a la imposible aparición.

Ver para creer: él no sabía que los sillones eran para sentarse, que la mesa era para comer, que los libros que Laura tenía apilados por aquí y por allá eran libros y que se podía leer en ellos, que para abrir una puerta había que introducir la llave en la cerradura, girar el picaporte y empujar. Ver para creer: él no sabía nada de lo que era una casa. En el baño tampoco, pero esto no me causó extrañeza...

(Habla Margarita:)
Entramos y sentamos a Moctezuma en un sillón. Porque ya para este entonces —no sé si era el desvelón, el cansancio, la cruda o qué lo que me permitía aceptar su presencia sin inquietarme— también yo ya estaba convencida de que él sí era Moctezuma Xocoyotzin, el joven, el Tlatoani que reinara en Tenochtitlan a la llegada de los españoles. Yo me senté en el chaise-longue, no quería hacer nada más que dormirme, recapacité y cerré la ventana que daba al jardín con los postigos de madera que un novio mío que sólo servía para eso le instaló a Laura en sus ventanas. Pero Moctezuma me pidió que lo abriera, no sin antes decirme elegantemente que eran hermosos los postigos, no los llamó así, que eran hermosas las pequeñas puertas, me pidió que lo abriera, por favor y muy gentilmente, porque

le era muy grato ver los árboles. Me estaba resignando a no dormirme, cuando entró de la cocina Laura triunfante con café y chocolate de agua (de dónde sacó chocolate de agua, habría ido a Oaxaca), Luisa ya había acomodado unas piezas de pan en un canasto, pan recién calentado en el microondas, hecho por ella misma en el horno de su casa, regalado en otra ocasión a Laura y guardado en el congelador y después de sentar a Moctezuma a la mesa, nos dispusimos a tomar un café con su pan dulce —el chocolate era para él—, cuando lo único que yo quería en la tierra era dormirme, o si no dormirme tomarme dos cervezas para dormirme y no café y pan dulce, qué horror, y menos oír a Moctezuma y verlo tomar el "cacao", como él le decía al chocolate, y me acordé del cuartito aquel que había junto a la cocina, que Laura tenía para las visitas, y eso fue lo que hice, meterme al cuartito y olvidarme de todo, y vaya que me olvidé porque de lo que pasó después yo no puedo decirles nada, no sirvo de testigo. Al despertar, lo único que encontré fueron las cosas, todas las de Laura y las pocas que de él quedaron tiradas en el piso del baño y al pie de la cama.

Y entonces, cuatro días después de haber sido echados fuera del templo, los españoles vinieron a tirar a Motecuhzoma y a Itzcuauhtzin, que estaban muertos, al borde del agua, en un sitio llamado Teoáyoc, pues ahí había una imagen de tortuga esculpida en la piedra; como si fuera una tortuga, la piedra tenía esa apariencia.

Y entonces fueron vistos, fueron reconocidos como que eran Motecuhzoma e Itzcuauhtzin. Enseguida, rápidamente tomaron en sus brazos a Motecuhzoma, lo transportaron allá a un sitio llamado Copulco. Enseguida, entonces, lo colocaron sobre una pira de hoguera; enseguida, entonces, lo inflamaron, le prendieron fuego; enseguida, entonces, el fuego crepitó, como si chisporroteara, como si arrojara lenguas de fuego, como si las flamas se pasearan, lenguas de fuego. Y era como si chisporroteara, el cuerpo de Motecuhzoma, y apestaba mientras se quemaba.

Y mientras se quemaba, impulsados únicamente por la cólera, ya no había muchos que lo llevaran en su corazón; otros le hacían reproches, decían:

"¡Ese malvado! ¡Por todo el mundo sembraba el terror, por todo el mundo hacía reinar el espanto, por todo el mundo venían temblando ante él, venían sorprendidos! ¡Él, a los que lo habían ofendido aunque fuera un poco, enseguida les quitaba la vida! ¡Muchos pagaron por faltas imaginarias, que no eran verdaderas, que no eran más que palabras engañosas!"

Y también muchos que hacían estos reproches refunfuñaban, mascullaban, movían la cabeza.

Códice Florentino

X

Escupe, viento, tira aquí lo que en ti viene contenido. Anda, deja caer el polvo que te arropa. Mal no te va a hacer, te lo prometo, el polvo no te cubre del frío, el polvo no te acompaña, el polvo no habla contigo... Déjalo caer, ¡escupe, viento!...:

(quinto fragmento de novela)

"Es una necedad estúpida querer escribir una novela de Moctezuma II. Sabios quienes al contar nuestra historia olvidan disertar acerca de las razones de su raro comportamiento, como los que lo adjudican a que en la llegada de los españoles él vio el retorno de Quetzalcóatl y lleno de culpa y temor dejó que tomaran lo que les pertenecía y de inmediato pasan a disertar durante cientos de cuartillas acerca de lo que representó para occidente el encuentro con este mundo. Son sabios, porque sólo del mundo que arrasó hay suficientes indicios. Tenemos con qué saber qué sintió, pensó, opinó Felipe II o Carlos V, pero en cambio de Moctezuma no quedaron indicios. Ni huesos, ni señas de cómo era su pensamiento, ni nada de nada. Si un cronista de un pueblo enemigo al mexica lo describe como un hombre cruel al que le llegó la hora de la venganza, si sabemos que él tenía un zoológico, que levantó un templo para todos los dioses, mexicas o de otros pueblos, que coleccionaba hombres 'anormales', que se cultivaba en sus jardines un sinnúmero de plantas, que amaba la música, si sabemos como Tlatoani que era cuáles eran sus costumbres y qué era, hasta cierto punto, ser Tlatoani, de su opinión sobre los españoles nadie nos puede dar razón. Los juicios siempre son obtenidos mirando de afuera. En torno a su persona ocurre lo mismo que en torno a su muerte: unos dicen que murió apedreado por los mexicas, otros que asesinado por los españoles, la verdad es que no se sabe.

"Tomarlo como personaje de novela, tener como materia de trabajo un penacho que quién sabe para qué fue usado y con qué motivo y si alguna vez fue o no usado por Moctezuma (tal vez sólo un día, tal vez –lo más seguro– ninguno) y un montón de piedras dispersas que un día formaron lo que yo imagino como la ciudad más hermosa jamás habida en la tierra asentada donde ahora está la ciudad más poblada en la historia de la tierra, es un absurdo, y más porque no alcanza siquiera el tamaño de una estupidez...”

Cuando este último murió, enseguida vino a cargarlo sobre sus espaldas uno llamado Apanécatl. Enseguida se lo llevó allá, a Uitzillan. Pero entonces, allá, sólo vinieron a verlo. Entonces también, lo llevó allá, a Necatitlan. Pero entonces allá, sencillamente le dispararon flechas. Entonces también lo llevó a Tecpantzinco, pero allá también sólo fueron a verlo. Entonces, una vez más, lo llevó a Acatliyacapan. Entonces allá, Apanécatl sencillamente dijo:

"¡Oh señores nuestros! ¡Qué desgraciado es Motecuhzoma! ¿Qué me voy a pasar la vida cargándolo en las espaldas?"

Enseguida los señores dijeron:

"¡Recíbanlo, pues!"

Enseguida, los mayordomos tomaron su cargo, enseguida lo incineraron.

Códice Aubin.

Otra voz

Lo llevé en hombros. Lo llevé sobre mí de un poblado a otro para que lo recibieran. Dicen que lo llevé: yo sólo recuerdo que sentía que aquel cuerpo inerte y desmayado aún tenía el poder de protegerme. Creía que esa piel sobrepuesta a mi cuerpo triste y fatigado me cuidaría de la destrucción que sobrevendría tras su muerte.

Lo llevé a Apanécatl. Lo llevé a Huitzillan. De ahí hube de llevarlo a Necatitlan donde le dieron flechas. En ningún lugar querían recibirlo. Lo volví a cargar en hombros —a Tecpantzinco, a Acatliyacapan...— lamentándome de que nadie quisiera recibirlo, creyendo que tendría que pasar la vida cargándolo en las espaldas. Temía venir a mí su ira, ya no podía dejar su cuerpo tendido sin darle las ceremonias de la muerte. Él era el Tlatoani, él lo había sido. Sobre sus espaldas reposaba el imperio. Sobre las mías su cuerpo exangüe, su cuerpo abandonado por él mismo, abandonado por los demás, usado por el mío como un refugio inútil.

Dicen que lo llevé. Yo no lo recuerdo. Vinieron los años de la enfermedad y de la muerte y yo vi con mis ojos cómo aquello que fue orgullo y gloria se volvió desdoro y tristeza. Vi morir a los hombres, vi sus cadáveres apilados sin quien les diera humana sepultura. No había hombros suficientes para llevar a los apestados de pueblo en pueblo, buscando la compasión, buscando quien tuviera la serenidad para enterrarlos.

El fin no perdonó a ninguno y nosotros los mexicas nos vimos entre los otros confundidos, maltratados, desechos...

Si acaso llevé el cuerpo de Moctezuma sobre el mío,

si acaso lo hice, él me gratificó con crueldad el acto leal, porque la muerte no ha querido hacerme suyo y he tenido que ver, con dolor, la muerte del hombre, el fin de un pueblo.

Que no hubiera tenido ojos para ver. Que no hubiera tenido hombros para portar su cuerpo. Que no hubiera habido cadáver que cargar. Que no hubieran llegado aquí los que vinieron de donde sale el sol, o si acaso esto ya estaba escrito, que hubiéramos muerto antes de su llegada todos, que hubiéramos antes muerto...

XI

Camina, camina, no se cansa nunca, camina... Atravesada la ciudad, se interna en los caminos. Primero cruza por los pavimentados, sin calentarse siquiera bajo un sol que deja sin perdón a cielo y tierra. Después, como fastidiado de tanto asfalto, pasa entre los árboles, subiendo las colinas, cruzando los llanos, cada vez más rápido, como si un demonio lo persiguiera, hasta llegar a la Sierra: los cafetales, los naranjos, bordeando los caminos donde las naranjas se pudren en pilas a la vera del camino, inalcanzables las pencas de plátano, el olor del cacao secándose sobre los patios al frente de las casas... El vientecillo entró al puerto, cruzó las calles ruidosas... llegó a la playa, a la orilla de la Villa de la Veracruz. En este punto, el vientecillo había vuelto su ánimo burlón: había caminado por el puerto, en los portales que bordean la plaza central de la ciudad, había sentido cómo, sentados bebiendo, hombres y mujeres lo percibieran con alivio, lo percibieran refrescante, placentero y no un viento insignificante o molón. El vientecillo venía contento, jugueteando: había tocado las piernas de las mujeres que venden placer, había tocado los tobillos de los marineros, de los hombres que beben con calma, como si el tiempo no fuera a parar nunca. En el puerto el barullo lo había emborrachado, y sentirse querido y bien recibido le había hecho bien. El vientecillo venía sonriente, parecía también a punto de tener poder de encanto. En la arena, a la orilla del mar, se dirigió como sin darse cuenta hacia donde no había más tierra, hacia el mar. Y caminó como un cristo sobre las aguas, sereno, impoluto, sin que su esencia oliera al fuerte olor del mar de Veracruz, y caminó emborrachado, juguetón, divertido, lleno de la fiesta del puerto, hacia la nada, hacia donde el planeta parece terminar en una línea azul donde el mar y el cielo entrechocan.

La orilla del mar... esa orilla sin extremo, sin orilla, esa orilla a medias, que casi no lo es porque se acaba en mil bordes, y que es orilla hasta la exageración, porque no hay mejor imagen de límite que la orilla del mar, ni mayor enseñanza para empezar un final tremendo casi sin mostrar los dientes, vuelta la tierra arena y ola el mar. La orilla del mar... Con los ojos, nada más de alzarlos, se estrella el mar entero contra uno, se arroja el mar inmenso contra uno, esto por los ojos, nada más de alzarlos, pero si uno los baja y mira los pies, aquella inmensidad es un buchecito de saliva, es espuma, es un chorrito de agua díscola agachándose a nuestros propios pies... La orilla del mar... El vientezuelo no se preguntó qué era, ni por qué el mar se mostraba con un rostro tan diferente nada más por alzar o bajar la vista; el vientezuelo no se preguntó qué era... No se dijo "Aquí acaba la tierra, aquí empieza el mar, esto es un elemento y esto ya es otro", sino que nada más siguió su camino, adelante, como si no le importara saber hacia dónde iba, siendo que no buscaba demostrar ni que el horizonte era línea ni que era fin, ni que era principio de la redondez de la tierra... No se dijo "Esto que está aquí es el mar inmenso", no se dijo "Cuidado, en el mar hay que comportarse de otra manera", no se dijo nada... como un mudo avanzó sin importarle adónde iba, avanzó sin decirse nada más que "Sigo mi camino", sin recordar si era o no era viento, sin pensar, sin callar, embriagado por el puerto...

El vientecillo olisca perdido en el aire las palabras escritas en apretada letra manuscrita que hablan de un Motecuhzoma que sueña con un hombre todas las noches, un hombre vestido de extraña manera que se enferma, que sana, que viaja, que desespera, que persigue mujeres, un hombre anhelante, como un animal enjaulado. Sólo con un hombre sueña todas las noches y lo comenta con uno de los viejos sabios, que guarda celosamente su secreto. Por ello, cuando a Motecuhzoma le avisan que han visto a la orilla del mar un barco como el que él ha soñado conteniendo al hombre con el que sueña, Motecuhzoma no entiende a qué ha venido, no sabe por qué ese extraño ser que él ha soñado está aquí, acercándosele a él... Sabe de él todo, sabe sus debilidades, sus flaquezas, sus miserias y su fuerza, sabe su desesperación, sobre todo, lo que no entiende es qué busca en él... hasta el día de su muerte. Entonces, Motecuhzoma comprende que lo que ha soñado es su propia muerte, que aquellos sueños que él tuvo eran la premonición de su muerte, que encharcaría a su pueblo todo, anegándolo...

Y el dicho Muctuzuma, que todavía estaba preso, y un hijo suyo, con otros muchos señores que al principio se habían tomado, dijo que le sacasen a las azoteas de la fortaleza, y que él hablaría a los capitanes de aquella gente y les haría que cesase la guerra. E yo lo hice sacar, y en llegando a un pretil que salía fuera de la fortaleza, queriendo hablar a la gente que por allí combatía, le dieron una pedrada los suyos en la cabeza, tan grande, que de allí a tres días murió; e yo lo fice saber así muerto a dos indios de los que estaban presos, e a cuestas lo llevaron a la gente, y no sé lo que dél se hicieron, salvo que no por eso cesó la guerra, y muy más recia y muy cruda de cada día.

Cartas de Relación de Cortés

XII

(Habla Luisa:)
Tomamos el desayuno, en una charla deliciosa que no podía ocultar nuestros tropiezos en su frágil y arcaico español. Le pregunté al Tlatoani si no le molestaba que lo viéramos comer, que yo sabía por la crónica de Bernal Díaz del Castillo (¿Bernal Díaz del Castillo?, preguntó, le dije sí, y él no dijo nada, bajó la cabeza) que al Tlatoani nadie más que sus más cercanos colaboradores lo veían comer, que interponían entre él y los demás que andaban por la habitación una como puerta toda de oro, y él me contestó con una educación y una elegancia que me halagaron que nosotras éramos como sus principales, sus jueces, sus consejeras, que no daría un paso sin consultar nuestra opinión, que de algún modo él nos pertenecía porque qué hubiera hecho él solo tirado ahí, en ese jardín inhóspito, sin comprender ni coche ni semáforo ni el misterio de la luz eléctrica y Laura trató de explicarle y luego él me preguntó que cómo sabía yo lo de Bernal y le dije que lo había leído en un libro y me preguntó que cómo que en un libro y tomé uno del piso de la casa de Laura, uno que decía en la portada *El rostro de la muerte* arriba de la reproducción de una fotografía a color, un rostro mitad muerte mitad vida, "de Tlatilco", le contestó Laura cuando me preguntó que de dónde era y le pasé las páginas. Él no salía de su sorpresa, entre la forma del libro, la impresión, las letras, la tipografía, las fotografías y lo que reproducían. Me pidió que le dijera lo que ahí se decía y con voz pausada le fui mostrando mientras él pasaba, totalmente alterado; de la risa —una risa encantadora— al llanto, y Laura le acariciaba las manos y lo veía con una mirada que nunca le había yo visto a ella, como si él fuera el hijo que ella siempre ha querido tener y que ese hijo viniera desde otro tiempo, recordando lo que nosotros no sabemos recordar, viviendo en aquello que hemos entre to-

dos destruido, y su mirada hacia él era tan conmovedora que me costaba trabajo no distraerme de la lectura a que me apresuraba Moctezuma, sorprendido, divertido, conmovido, atolondrado, generoso mostrando todas sus emociones sin miramientos. Cuando ya iba a acabar de ver el libro y escuchaba sus frases, sus comentarios (¡cómo nos supo envolver en sus propios recuerdos!), pensé que era un crimen que estuviera yo sentada ahí, sin hacer nada, nada más oyéndolo. Me levanté, tomé el teléfono, que por alguna absurda reminiscencia de la familia Adams Laura guardaba en una caja de madera (que por cierto le había hecho también el mismo novio de los postigos), y marqué el número de López Austin mientras Laura le explicaba a Moctezuma que yo me estaba comunicando con otra persona que estaba en otro lugar y que el teléfono podía servir para hablarle a distancia a quien fuera, que servía para entablar comunicación con cualquier persona aunque estuviera en otro lugar, y Moctezuma le dijo:

—Qué grandes son sus dioses, qué poderosos. ¿Adoran como los que vinieron la cruz?

y ella le contestó:

—Nosotros no tenemos dioses, nuestros dioses han muerto, lo que ves lo hemos hecho los hombres, Moctezuma, somos hombres, como tú, pero somos hombres sin dioses. El de la cruz fue el último que tuvimos, pero murió. Y no ha sobrevenido el fin de la tierra, aún...

—Bueno.

—¿Está el doctor López Austin?

—Él habla.

—Maestro, no sé si se acuerda usted de mí, soy Luisa, fui alumna suya, nos hemos visto muchas veces, soy muy amiga de Marta Lamas, Ana Luisa Liguori...

—Sí, Ana Luisa, cómo te va, sé bien quién eres.

—Maestro, disculpe que lo moleste en domingo, pero es que nos ha ocurrido algo excepcional, algo que no sé ni cómo explicarle. Es algo increíble. Por favor no cuelgue el teléfono, escúcheme. O mejor, le voy a poner al personaje al teléfono. Dice que es Moctezuma Xocoyotzin, sé que es un absurdo, pero está vestido como el Tlatoani, se comporta como tal y no comprende nada de lo que ocurre actualmente. Es como un ser de otro tiempo pero vivo. No me cuelgue, por favor, maestro, si quiere lo acerco al teléfono. En este momento Laura Rodríguez (sí sabe quién es, ¿verdad, maestro?)...

—Claro, "la conciencia del futuro"... Leí tu carta, me pareció muy bien.

—Uno que otro amigo me dijo que no debí haberla mandado al periódico, que no tenía sentido, pero me enfureció lo que escribieron de ella, ¿cómo va a ser Laura "la conciencia del futuro"? Es absurdo.

—Sí, sí, leí tu opinión.

—Pues es Laura quien le está explicando qué es el teléfono para que le pueda usted hablar. Y le prometo que no es una broma, es verdad. Bastaría con que usted lo viera para que me creyera, trae piedras empotradas en los dientes, lo encontramos al lado de un palio, rodeado de mantas, sobre una piel, con una piedra tallada redonda en la boca, la cara pintada... a su lado había unos como papeles que no recogimos, por cierto... y la manera en que está vestido... Se lo paso, maestro, háblele usted primero, por favor...

Sostuvieron una conversación en náhuatl clásico y después Motecuhzoma, Montezuma, o como se diga —lo pronunciaba de tan extraña manera—, me pasó el auricular a mí:

—Luisa, ¿dónde puedo verlo?

—Maestro, estamos en Coyoacán, en casa de Laura, dígame usted dónde lo llevamos, no creo que no quiera ir, siempre y cuando se le trate con respeto y se tengan las consideraciones que se le tienen a un Tlatoani.

—No sé quién sea, pero su náhuatl es asombroso y conoce cosas con una soltura... Le he preguntado... —López Austin no acertaba a hablar— ¿Dices que tiene incrustaciones en los dientes?

—Sí, maestro, se los vimos en el Parque. También tiene una piedrecilla incrustada en la barbilla y traía orejeras y...

—¿Dónde?

—Donde nos lo encontramos.

Mientras yo continuaba la conversación con el sorprendido

maestro López Austin, Laura le volvía a decir que por el teléfono podían hablar a cualquier parte del mundo con quien él quisiera y cuando dijo mundo abrió un libro hermoso que tiene Laura de mapas y empezó a enseñarle a Moctezuma los mapas, y le enseñó uno que había sido hecho a imaginación tratando de copiar lo que sería el que Cortés mandó a Carlos V, otro que mostraba la extensión del imperio mexica en el reinado de Moctezuma Xocoyótzin, le mostró Europa, Asia, África, un mapamundi y luego un plano de las estrellas y él escuchaba con una cara extraordinaria como si ahora él fuera el que descubriera el mundo. Nueve veces cincuenta y dos años después de la caída de Tenochtitlan, presenciábamos, sí, un verdadero Descubrimiento.

Yo le explicaba a López Austin cómo y con qué objetos nos lo encontramos y me pidió que si se los llevaba, que a él le gustaría verlos junto con Matos Moctezuma, que él le hablaría en ese instante a Eduardo y que juntos los verían con su hijo, también arqueólogo, que tal vez también le hablaría a más gente. Le dije que sí. Laura brincó desde donde estaba sentada y dijo que a Moctezuma no lo sacarían de aquí, que prepararan primero el ceremonial para recibirlo, y que cuando estuviera todo dispuesto para el Tlatoani saldrían, pero no antes. "Y con todo, aclaro que el gabinete entero, y Salinas en persona, y otros jefes de estado para darle la bienvenida. Y Paz y Fuentes." Saltándome esto último, se lo dije a López Austin.

—Está bien, traiga las cosas, luego lo iremos a ver.

Primero le pregunté a Moctezuma si no tenía inconveniente en que me llevara yo los objetos, dijo que claro que no, no con una sílaba, sino con un montón de frases ceremoniosas y bien armadas, saqué las llaves del coche de Margarita y llevé de inmediato las cosas a casa de Alfredo López Austin donde él daría cita a varios especialistas para que las vieran. Eso me parecía muy bien, Moctezuma era una persona, no un animal para que lo estuvieran inspeccionando. Me despedí de ellos dejándolo sin su tocado, sin sus orejeras, sin doce de sus trece mantas, sin sus cotaras de oro. El dosel seguía en el coche, las narigueras, la urna y la piel de jaguar...

Fue general entre los españoles el sentimiento de su muerte, porque todos le amaban con igual afecto; unos por sus dádivas, y otros por su gratitud y benevolencia. Pero Hernán Cortés, que le debía más que todos y hacía mayor pérdida, sintió esta desgracia tan vivamente, que llegó a trocar su dolor en congoja y desconsuelo; y aunque procuraba componer el semblante para no desalentar a los suyos, no bastaron sus esfuerzos para que dejase de manifestar el secreto de su corazón con algunas lágrimas que se vinieron a sus ojos tarde o mal detenidas [...] Su primera diligencia fue llamar á los criados del difunto, y elegir seis de los mas principales para que sacasen el cuerpo á la ciudad, en cuyo número fueron comprendidos algunos prisioneros sacerdotes de los ídolos, unos y otros oculares testigos de sus heridas y de su muerte. Ordenóles que dijesen de su parte a los príncipes que gobernaban el tumulto popular: "que allí les enviaba el cadáver de su rey [...]" Partieron luego con este mensaje los seis mejicanos, llevando en los hombros el cadáver; y á pocos pasos llegaron á reconocerle, no sin alguna reverencia, los sediciosos, como se observó desde la muralla. Siguiéronle todos arrojando las armas y desamparando sus puestos, y en un instante se llenó la ciudad de llantos y gemidos: bastante demostración de que pudo mas el espectáculo miserable ó la

presencia de su culpa, que la dureza de sus corazones [...] Duraron toda la noche los alaridos y clamores de la gente, que andaban en tropas repitiendo por las calles el nombre de Motezuma con un género de inquietud lastimosa, que publicaba el desconsuelo, sin perder las señas del motín.
Algunos dicen que le arrastraron y le hicieron pedazos, sin perdonar a sus hijos y mugeres. Otros que le tuvieron espuesto á la irrision y desacato de la plebe; hasta que un criado suyo formando una humilde pira de mal colocados leños, abrasó el cuerpo en lugar retirado y poco decente. Púdose creer uno y otro de un pueblo desbocado; en cuya inhumanidad se acerca mas á lo verosímil lo que se aparta mas de la razon. Pero lo cierto fue que respetaron el cadáver, afectando en su adorno y en la pompa funeral que sentían su muerte como desgracia en que no tuvo culpa su intencion.

Antonio de Solís

XIII

No tienes que disminuir el paso. Sigue corriendo, oh viento, si ésa es tu voluntad o la voluntad de quien te gobierna. Escucha por favor: Tira, tira el polvo para que hable; tírale, viento traidor, aunque al tirarlo mañosamente, como has venido haciendo, la única sílaba que sepa decir el viento sea no:

(sexto fragmento)

"El mundo del miope es más afín con el mundo literario que el de quien tiene la vista perfecta.

"La indefensión del miope, su certeza de saber que los otros ven más que él, que lo ven antes de que él los reconozca, la calidad, como de agua, de lo que lo rodea, en la que se mueve todo más lento y, a la vez que difuso, con precisión, hacen que el miope necesite valerse, para entender lo que ve, del olor, del oído, de la sensación que le produce tener cerca de sí otra cosa o persona o animal. El miope necesita sentir si ahí hay alegría, peligro, amenaza, y, sobre todo, necesita de la imaginación que tan grácilmente se mueve en la espesura del aire que rodea al miope, la imaginación en su tiempo improbable y azaroso, a veces veloz, a veces interminablemente lento, pocas veces al ritmo de los demás y nunca en el que se necesita para atacar o defenderse, nunca un tiempo ágil y oportuno, nunca la inteligencia encarnada en el tiempo del cuerpo sano y fuerte.

"Esta otra visión del miope es a la que debe confinarse un escritor, aunque en ella no sea posible ni conducir un automóvil ni asistir al cinematógrafo y con gran dificultad usar el transporte público. Aunque corra, el miope es cauto; aunque camine lento no consigue pisar con precisión.

"Esta manera absurda de comportarse es la que debe imitar un escritor: es visto antes de ver, para que cuando el otro se le aproxime (y esto si no quiere rehuirlo, porque es muy fácil hacerlo) el miope vea en él la cara que él sabe le será vista, que el otro quiere le sea vista. Y luego, la imaginación para que, a cinco metros, el miope suponga ver un rasgo predominante, como si el desconocido que el miope observa se lo gritara, ver las marcas de malhumor en un movimiento de la cabeza, ver su mala postura, como si el desconocido se las aventara a la cara.

"Una visión exagerada de todo, subrayada, en la que la imaginación del miope deambula hasta encontrarle explicaciones y matices, o si no, estirar aún más la liga hasta la exageración y la caricatura.

"Todo esto a propósito de Moctezuma. Si he decidido escribir una novela de él es por *miopía*. Los restos que *restan* son como objetos maquillados para semejar haber sido pasados por el cernidor de una mirada miope, se ven pero no se ven. Están ahí pero por más que nos acerquemos a ellos están lejos: forzamos los ojos, los entrecerramos para tratar de ver cómo son... Aceptamos que todo gesto es inútil, porque no hay lente que nos permita verlos si no es la imaginación. Si ellos quieren, nos cuentan quiénes fueron, como contarían un cuento o una ficción, y ésta no sería como nosotros los hubiéramos visto, si no fuéramos miopes, si supiéramos ver, ni tampoco como ellos fueron; todo esfuerzo para intentar comprenderlos es inútil, la cancha para el escritor está libre, no hay más regla del juego que la fantasía, no hay márgenes. Se puede decir que Moctezuma es lo que a uno le dé la gana: de todos modos no será como sería de ser cierto, de no estar condenado, por la demolición de su ciudad, a ser visto como por miopes, amén.

"¡Consolación!, página escrita para mi consolación: escribir una novela en la que el personaje principal sea Moctezuma es imposible, de todo punto, imposible.”

Otra voz

No puedes fallarnos. Somos niños tiernos. Estamos en tus manos. Lo que tu voz decida nos protegerá. Lo que tu voz dicte será acatado porque en ti se respeta el orden y el orden te respeta; en tu voz somos protegidos, ante tu voz los animales se reclinan para preguntarse por qué no tendrán la suerte de ser gobernados por tus órdenes para que de ellos escapara el mal fortuito y la muerte inútil. Bajo tus alas nos protegemos los pequeños, los macehuales, los que no somos nada sin que tu sombra nos pise. Bajo tus alas nos guarecemos y nunca dudamos de ti. Tú no puedes equivocarte, no puedes fallarnos. Tus decisiones son nuestra sobrevivencia.

Somos niños sin cuna si nos faltas tú. Nuestros pies tiemblan sin piernas, sin rodillas tiemblan, nuestro cuerpo es un títere sin pies si no estás tú tras nosotros; a ti te rendimos tributo porque a ti te debemos el orden que nos protege; una sola palabra tuya coloca las partes de nuestros cuerpos confusos en su lugar y dejamos de rodar por la colina.

Si guardas silencio, rodamos sin tocar fondo. No somos nada, perdidos en una neblina oscura ni nuestros propios ojos encontramos para protegernos si acaso alguien nos ataca. Somos carne dispuesta para las fieras si tú no estás con nosotros. No podemos inventarnos sin ti, y las paredes de nuestras casas se desploman como si fueran de arena y nuestros pechos se deshacen como si fueran de arena y nosotros mismos somos barridos por el viento o por la ola si tu voz no es pronunciada para protegernos.

No sabemos inventarnos sin ti, oh grande, oh protector nuestro, oh hermano mayor que nos guías y nos permites caminar con nuestros torsos erguidos mientras las serpientes se arrastran sin sentido por un camino inhóspito. Oh protector nuestro, no sabemos caminar sin ti, no sabemos estar sin ti, no sabemos.

En ti confiamos desde que ocupaste el sitio de tu predecesor hasta que se acaben nuestros días en la tierra. Tu fuerza no tiene fin, como no lo tiene tu reinado. ¿A quién que no seas tú podríamos obedecer y honrar si eres el señor de los señores, nuestro padre? ¿En qué podríamos confiar, si no, en toda la faz de la tierra?

Para tus pequeños, tú eres la faz de la tierra. No puedes errar, tu perfección tiene que serlo para que los tuyos no desaparezcamos.

Cuídate de incurrir en error porque el error tuyo sería nuestra muerte. Cuídate, cuida tus oídos, cuida tu voz y tus manos y tus pensamientos, cuídate porque en ti está la alegría de nuestros niños y el pan de nuestros niños y de nuestros mayores.

No nos dejes sin ti. No dejes de pensar en nosotros. Que las nubes que crees ver cerca de ti se disuelvan en una noche menos oscura, donde la luna reina para favorecer las decisiones que como Tlacatecuhtli que eres pueden llevarnos al final de los hombres.

Moctezuma desconfiaba de su autoridad, o
temía la inobediencia de sus vasallos.

Antonio de Solís

XIV

La mujer ausente en el polvillo repartido, la mujer que fue sólo un recuerdo arrojado en el parque, la que, al no poder sobrevivir como tal fue sólo una de las imágenes arrojadas en el Parque Hundido, ella, la del pezón roto por la mordida de un perro, ella habría sido el polvo mensajero que hubiera sabido decir cómo contar la novela que mereciera la aparición de Moctezuma. No es conjetura: ella hubiera sabido cómo. Su amor por Moctezuma, o Motecuhzoma, o Montezuma, o Moctheuzoma, Motecuzuma, Moctecuzomatzin, como se pueda recordar su nombre, hubiera roto cualquier resistencia: tiempo, técnica, la herrumbre del desconocimiento. Ella lo hubiera traspasado todo, pero ella sólo fue por un instante un recuerdo estallado, un recuerdo que en imagen cayó pero que nadie pudo ver porque al aparecer no hubo ojo ni imaginación que la tomara. Ella hubiera sido, sí, de haber sido polvo, ceniza viajera, ella, la del cuerpo roto, la víctima de un capricho, la que cambió todos los gustos de su vida por el disgusto del rechazo... Sólo ella hubiera podido decir cómo tenía que contarse la historia de la reaparición de Moctezuma a la orilla final del siglo veinte.

XV

(séptimo)

"Deserté del primer Moctezuma que vi, el hombre que recibió anuncios o presagios de lo que iba a ocurrir (algunos hermosísimos, otros divertidos o asombrosos, en todos los casos 'antojo', golosina para el narrador); deserté del hombre que murió de una pedrada en la frente; deserté del supersticioso; deserté del que me convocó a escribir *Llanto*. Buscando una verdad en la cual fundar a mi personaje, perdí mi novela. Si yo quería hacer una historia con los presagios y el magnicidio, ¿qué me hubiera importado mandar cualquier verdad a la porra? Pero como él, Moctezuma, fue un personaje cierto, como él fue una persona y está en un punto histórico especialmente sensible, de entronque, de encrucijada, de campo de batalla, no lo pude hacer. Leí, traté de entender: el personaje terminó siendo otro. No me parece que haya sido supersticioso, no me parece que los presagios hayan ocurrido en su tiempo sino que fueron inventados después, para hacer menor la fractura, el desmantelamiento, el rompimiento con el pasado. Los presagios fueron hechos para que la historia no pareciera cuna de cadáveres, para que la comunidad indígena se explicara su presente no como algo totalmente desconocido a sus propios ojos, sino como algo que vieron venir y que por lo tanto, de alguna manera, formaba parte de su pasado. Deserté del hombre que murió de una pedrada porque no creo que el pueblo mexica se haya atrevido a alzar la mano contra su Tlatoani sino contra el cadáver con el cual pretendían engañarlo, y en cambio creo que el conquistador estaba interesado, al escribir sus crónicas, en mostrar la mejor imagen de ellos mismos, y asesinar a un hombre en cautiverio para una maniobra que no fue oportuna no era algo que debiera dar a conocer; deserté de la idea del hombre atribulado, indeciso, aterrorizado y vacilante porque creo que se ve a Moctezuma vacilar o actuar como un cobarde desde la idea de Occidente de lo que es un cobarde y un hombre que vacila ante una guerra que él no tenía por qué entender. Deserté del supersticioso y pretendí encontrar al que se apegaba hasta la desesperación a las nociones de cómo debían ser las cosas mirando de frente solamente a su pasado. Entendí que lo que Moctezuma no pudo hacer fue mirar de frente lo que sobrevenía. No entendía el alcance de la llegada, aun cuando supo que no se trataba de una guerra más. No vio que se trataba del fin del imperio mexica. Se trataba del fin de una manera de concebir el mundo. Del exterminio de un modo de ser. De la frontera de su cultura con tal exterminio.

"Esa época, la que muestra cuando el hombre —cada uno de ellos, todos los habitantes de Tenochtitlan y sus alrededores— vio desplomarse su mundo, su idea del mundo, sus costumbres, su lenguaje... ésa me sigue pareciendo tema para novela y tema que me gustaría tratar y con el que me atrevería, porque no es mentir decir que existió. (Me pregunto, ¿por qué me preocupa tanto mentir? ¿Qué, un novelista no es aquel que miente? ¿Qué, no será que aquello de lo que yo he desertado es de la novela? ¿Ahora qué soy, si ya no soy novelista?)

"Esa época se parece a nuestro siglo veinte. A ellos se les murieron los dioses ('déjennos ya morir, / déjennos ya perecer, / puesto que nuestros dioses han muerto'), los nuestros, el nuestro, ha muerto. No tuvimos conquistador: nuestro mundo ha sido rendido por nosotros mismos. Nuestros dioses han muerto, sentimos que vamos a perecer, vemos con dolor que se acerca el fin del ser humano a manos del ser humano y que si no se acerca (¡ojalá no sea así!) es por lo menos algo posible, algo que puede ser, algo factible, algo que el hombre puede hacer. Nuestras sombras se burlan de nosotros, nuestras sombras tienen forma de armas atómicas. Hemos devorado gran parte del planeta con la boca maquillada de la civilización. No hay verdugo. Los conquistadores somos nosotros. Sabemos que nuestros dioses y nuestras costumbres murieron y que somos hechos de la sangre que nos destruyó y de la sangre que perdió a los dioses, somos hechos de todo, del que ganó y del que perdió, del que triunfó y del derrotado, del que destrozó y del que fue destrozado, de la resistencia y valentía de la parte vencida y de la derrota del ganador, sobre todo de estos dos últimos elementos. Es imposible que entendamos: necesitamos entender. Creemos ver venir nuestro fin; somos nosotros quienes lo hemos trazado. Algo le ha dado guerra a la humanidad; algo somos nosotros. Alguien nos propone una manera distinta de entender espacio, tiempo, cuerpo, idea, representación, imagen; ese alguien somos nosotros.

"Sí que el siglo veinte se parece a la época de la conquista. Nos enfrentamos a nuestro propio dominio: no entendemos con qué nos estamos dominando. El triunfo de la tecnología, los alcances de la tecnología, el modo de vivir de la modernidad arrasan al hombre de ayer, nos arrasan a nosotros. Con dificultad nos hacemos a la idea de que lo que el hombre ni se atrevió a soñar es ahora cierto. Los inventos, los dominios sobre la materia van más allá de lo inimaginable. También las armas y la violencia. También la crueldad, también los regímenes que nos avergüenzan de ser humanos. No hemos crecido: nos hemos hinchado. Tal vez, si aceptáramos nuestra situación de conquistados por nosotros mismos, nuestra situación de ser, como fue Moctezuma, personajes en la frontera, seres situados entre dos territorios, expulsados tal vez de ambos por nuestra incertidumbre, tal vez si lo viéramos...”

XVI

(Habla Laura:)
Nos quedamos solos y tuve el deseo de darme un baño. Ésta es la última frase que se me permite decir. Porque ya no estoy aquí. De hecho, yo no debí hablar en ninguna de estas páginas. Hace rato que soy humo y cuero, oro y mugre, hilo de algodón y botón de cobre, soy de mil maneras y mi recuerdo soy, mi recuerdo danzando y traicionero, indomable, a veces diciendo que sí que sí, que sí, a veces que no, siempre tambaleando sin cuerpo, preciso en mi último recuerdo, el que me trajo aquí al estrellarme con un hecho imposible, el que me trajo y me dejó en el lugar donde no se está en ningún sitio...

Yo no debí hablar. Porque no hay garganta que soporte mi voz, no hay garganta y no hay timbre ni cuerdas. Mi voz no suena, es el silencio. Sin pensamiento, salta sin compañía del recuerdo al recuento, no quiere advertir, perforar, comprender, preguntar, sólo quiere ser quien es, puro recuerdo.

No debí hablar. Debí, puesto que lo hice, decirles cuál era mi desesperado deseo de amor, de qué venía, por qué mi vida parecía suma de sinsentidos, un envase sin contenido, por qué yo no era más que un cuerpo a la orilla del tablón después del cual no queda sino el despeñadero de la horca... No sé de qué me libró haberme quedado sin mí, no sé de qué me libró, no puedo saber qué era de mí, porque de cierto modo no tengo pasado, yo sólo sé cómo fui en la noche, en esa noche...

XVII

Se quedaron solos. A Laura le dio un golpe de cansancio. Se sentó en la orilla de la cama para quitarse los rígidos zapatos de cuero, más rígidos que zuecos a los ojos de él, encendió el aparato de sonido y le dijo: "Voy a ponerte una música que te va a encantar, espérame un momento". Pasó al baño. Cerró la puerta y él quedó a solas mirando con sorpresa las cosas: el vaso transparente en el buró al lado de la cama, el propio buró, los libreros llenos, cuando cayó de golpe la música: un golpe inimaginable para Moctezuma, un golpe de gracia, un golpe con júbilo, un golpe que lo ensordeció primero y luego lo conmovió. ¿Qué era eso que sonaba? Cuando Laura salió del baño, le preguntó "Qué es eso, lo que se escucha" y ella le dijo son muchos instrumentos que interpretan música compuesta por un hombre que se llamó Vivaldi. Lo puse en esa cajita que lo hace sonar porque Vivaldi escribió una ópera que lleva tu nombre, él hizo una música parecida al sonido de lo que escuchas, para acordarse de ti, hace ya muchos años, más cercano al tiempo en que llegó el capitán Malinche a estas tierras que a nuestros días, que al día de hoy, y pensó para sí: cuándo iba a imaginarse Vivaldi que Moctezuma fuera a escucharlo grabado, nunca, cómo iba a imaginar eso, mientras Moctezuma piensa en las artes a que ha recurrido Laura para hacer sonar tantos músicos de manera tan extraña. ¿Qué se oye en ellos? ¿Qué sonidos son ésos?...

Aunque de hecho Moctezuma no pensó. A estas alturas ya no pensaba. Ya no se decía a sí mismo ¿qué? o ¿cómo?, no se decía no puede ser, no se decía soy mexica, vivo distinto, éstos han inventado otra manera de vivir. No se decía nada y ya no recordaba, como si lo que viera con los ojos hubiera actuado contra su cuerpo, inundándolo, penetrándolo por los poros, comiéndolo... pero no lo comía lo que veía, Moctezuma estaba ahí atento y presente, consciente pero sin juicios y sin palabras. Como si en lugar de tener cuerpo tuviera solamente ojos o en lugar de tener ojos y cabeza sólo tuviera un cuerpo que explorara, que viera... No se me ocurre otra palabra que no sea ver: no organizaba, no explicaba, pero tampoco se perdía de nada, como si inventara adentro de sí, a velocidad vertiginosa, una manera de sobrevivir a esta otra manera de ser. En ningún momento se dijo a sí mismo: "Soy Motecuzuma reaparecido inverosímilmente en el mismo lugar geográfico donde estuvo la Gran Tenochtitlan", nunca pensó de golpe lo que le estaba ocurriendo, y no porque cerrara los ojos sino porque los abría, cada vez más, como si, destruyendo la visión que él tuvo en vida de la vida y la muerte, del cosmos y de la nada, levantara una figura hecha sólo de asombro y observación... Moctezuma estaba ahí, atento, sintiendo...

Quién sabe por qué, Laura lo tomó de nuevo en sus manos y como a un niño lo llevó al baño y lo paró frente al excusado: hazte ahí pipí, anda, haz ahí tus aguas, como quieras llamarlas, yo ahora vuelvo, y cerró la puerta, dejándolo parado frente al baño, donde él se soltó el nudo que detenía el calzón, y orinó, un chorro tan abundante que no podía ser producto del chocolate de agua de la mañana, una orina ancestral guardada en sus vísceras por un craso error biológico desde el día de su muerte, porque al herirlo rompieron su conducto (¿será que por eso fue regresado a la tierra en cuerpo entero, para que acomodara sobre ese baño la orina que no debió guardar en sí a su muerte?), se anudó el calzón ceremoniosa y lentamente cuando ella entró al baño y jaló la cadena, y dejó caer agua de la llave metálica a la tina de mosaicos rosas, moviendo las dos llaves para llenarla, hasta conseguirla tibia, y desvestirlo y ayudarle a meterse al baño mientras parlotea: está rico el baño, es para ti, para que después estés tranquilo, a ver si así cambias esa cara, y Moctezuma entró a la tina y se relajó en el agua tibia y clara y miró cómo ella echó el agua que hizo burbujas azuladas sobre el agua y después lo frotó con una esponja suavísima y lo enjuagó con agua limpia que sacó de la regadera y lo sacó del agua, envolviéndolo en una suave toalla...

Frente a él se quitó la ropa y se dio un regaderazo rápido, en agua fría: para que se me baje la cruda y para despertarme.

Salió, se envolvió en una toalla, abrió la puerta del baño, y se recostó en la cama, primero con la toalla húmeda, luego botándola a un lado de la cama, metiéndose desnuda bajo las cobijas. Él la observó hacerlo, dejó caer la toalla en el piso húmedo del baño y se dirigió desnudo a la cama. Laura le abrió las cobijas para que se metiera junto a ella. Lo que sucedió después no tiene que ver con el gobierno del deseo, sería estúpido pensarlo así, cómo creen que él iba a desearla a ella o ella a él, primero fue como si sus dos cuerpos hubieran trastabillado, equivocado el paso, y que una torpeza los hubiera hecho caer el uno cerca del otro y abrazarse. Pero después de este primer movimiento, hecho por la casualidad y la torpeza, los dos volteando al mismo momento hacia distintos sitios, se hicieron caer, como si fueran objetos que no les pertenecieran, el uno en los brazos del otro, y el efecto provocado fue tan confortable —no diría tampoco que en nada parecido al deseo, pero sí que producía alivio— que los hacía no separarse el uno del otro para auxiliarse los dos en su dolor, en su incomodidad, ella la estúpida de ser mujer joven y llena de vida a fines del siglo veinte y en una ciudad situada donde antes estuvo la más hermosa y grandiosa del mundo y ahora es la más poblada, la que tiene más habitantes de todo el mundo y no sé si la más enloquecida, y él la incomodidad de haber despertado de la muerte después de siglos, en el mismo sitio donde estuvo su ciudad, con nada que reconocer más que los esqueletos de lo que fueron los templos. Ahí, acunados por la gracia de un par de sábanas de algodón limpias, un edredón ligero bien relleno con plumas de ganso y dos almohadas con sus rebordes bordados en hilo también blanco, Laura y Moctezuma, inexplicablemente —no se vaya a creer que por una tontería del novelista, porque para juzgar el acto es fácil llamarlo inverosímil o estúpido, pero si así ocurrió yo qué voy a hacer sino contarlo—, copularon, cogieron, empalmaron: la palabra que usted, lector, escoja. Ese privilegio sí le doy: nombre como usted quiera al acto que ellos dos hicieron y que yo me apresuro a reseñar, antes que estas páginas se vean condenadas irremediablemente (porque la historia está a punto de acabarse) a su fin:

las palabras sobran. El tiempo parece una coleta incómoda a punto de irse a la porra, de largarse. De deshacerse. No se escuchan los sonidos ni se ven con claridad las luces pero sí se advierte que la luz es luz y la oscuridad es oscuridad y que tanto luz como oscuridad pertenecen a un mismo elemento descabellado; cuando digo están cogiendo quiero decir que todo lo demás, lo que no está comprendido en esas dos palabras, se hace pequeño, no tiene importancia, parece no ser nada, es un camino que no tiene ni principio ni fin, que no lleva a ningún sitio y exaspera y no es camino sino un poco de agua detenida entre las palmas de las manos: algo a punto de irse, pero lo único que existe ahí, porque todo lo demás es un grano de arena calientita, nada, arenilla, nada, qué más da, qué puedo decir sino que de verdad no es nada, me avergüenzo de decirlo, no hago más que explicar lo que ahí pasa y mis palabras no forman sino un párrafo inocuo mientras ellos dos están ahí hasta que la noche empieza a roer con sus dientes traidores la última porción de luz de esa tranquila y espesa tarde.

En su desesperación, los dos encontraban alivio: él del dolor del parto en que un trozo rebelde de tiempo lo había gestado, reconformándolo, y ella de la incomodidad natural de la vida. En materia de incomodidad los dos eran lo mismo. Los dos y seguramente muchos más, y lo digo así porque no me atrevo a asegurar que todos, que todos los humanos. Si pusiéramos una prueba contraria, ¿quién podría pasarla? Imaginémosla: pararse en el centro de un llano, a solas. Respirar hondo y sentirse: ¿hay dolor o incomodidad en el cuerpo? Quien dijera *no* pasaría la prueba. ¿A quién no le incomoda la lengua, el brazo o siente que le sobran ojos o le faltan pulmones o que todo es inexacto, incómodo? Me atrevo a conjeturar que no se escucharía tal *no*...

La angustia está en el cuerpo, y el alivio natural que consiguen los cuerpos cuando se besan o acarician o penetran es un alivio doloroso. Pero es, al fin, alivio.

Por un rato parecieron inmóviles: trotaban en un ritmo uniforme, los dos, las dos manos de ella sobre la cadera de él, impuestas, alejándolo de sus dos piernas un espacio minúsculo que entre las dos pieles parecía distancia larguísima por la que el cuerpo de él volvía a caer, duro, vigoroso, hundiéndose en la penetración que los muslos de Laura no parecían detener. Por un rato interminable parecieron inmóviles, un cuadro idéntico en su movilidad (¿un-dos-un-dos, repetirían su ir y venir?), un lienzo en el que el hábil pintor diera los toques finales: gotas de sudor aquí y allá, revolver los cabellos, relajar, en movimiento uniforme y preciso, los músculos...

Por un tiempo fueron la inmóvil estatua a la que balancea el ir y venir del viento, inmóviles e impecables en la exasperación de la cercanía del final. Todo en ellos era goce, sus dientes, sus orejas eran goce, y goce las uñas y goce el parpadear y los ojos. Pero no lo sabían, no podían saberlo porque estaban en la orilla del lugar donde cualquiera se pierde. No sabían que gozaban y se podría creer que jamás dejarían el deleitoso territorio de la inconciencia.

Un tercer elemento pareció clavarse como una daga que rasgara la perfección del lienzo: fue la voz de Laura rasgando como la daga la tela que ellos formaran, perfectos, divinamente perfectos en el lienzo que nadie podría comprender sólo por verlo, un dibujo hecho de carne y alma (si es que en algo se distinguen alma y carne), una obra impenetrable, hecha a perfección por la atracción de una pasión sin nombre ni explicación y cuyo solo sentido estaba ahí, en ese momento rasgado por la voz de Laura que decía, con un tono que nadie imaginaría en su debilidad

—ya, ya voy, ven conmigo

y tras esa voz, en su boca insólita, el cuerpo de Laura disolviéndose fue como el humo que apura el volumen de un cuerpo consumido, fue como el vapor es al agua hasta devengar en nada, en partículas dispersas de sí mismas que ya no le recordaban ni sabían que habían sido ella ni que habían sido de ella.

¿Él? Le ocurrió exactamente lo mismo. Sólo quedó sobre la cama, atroz, diría que horrible, su deyección, las yemas blancas del semen, la estúpida y casi gris mancha espesísima, abandonada mientras que él volvía al aire, a la sabiduría de la roca y el agua, abandonando, tal vez para siempre, la incómoda vertical del cuerpo humano; todo placer, por fin, sin compartimientos, vuelto absoluta y plena entrega donde ni el tiempo ni la lengua ni la costumbre espían qué hacer de quién, cómo cebar más víctimas, cómo tomar la tibia y frágil desmesura de un hombre para troncharla secando toda flexibilidad contra la ciega realidad del individuo.

Se dispersó en diminutas partículas inidentificables en la aleta de un pez, hacia la corteza de un árbol, hacia el cauce de un río, hacia el viento y el fuego, hacia donde el aire que rodea la tierra deja de serlo, todo sin memoria y sin ciudad, inmensamente sabio en su desconocimiento, sin temer si habría o no alguna vez más el llamado de su conformación o de lo que algún día conformó, perdida en diminutas y sordas y ciegas partículas toda su conciencia, por fin, sí, libre de la incomodidad, la lucha, la pelea, la batalla, el hoyo, la ausencia de ser hombre, poderoso o no, hombre o mujer, libre o esclavo en cualquier sentido de la palabra esclavo, hecho como un clavo sujeto al viento, en ningún sitio, hecho de nada, sin sí, bueno del todo, más bueno que el pan, como es sabia y sin la enfermedad de la inteligencia una piedra.

Aquella voz

Asistimos al bautizo de Moctezuma vestidos de gala. Aquella noche él no había sido muerto por una pedrada, sino que había sido herido en una riña. Mientras presenciábamos la ceremonia, yo traté de fijar en su vista mis ojos. Pero Moctezuma no detenía la vista en nada; tampoco podía yo tocar los puntos en los que su mirada saltaba.

El bautizo, esa vez, fue una ceremonia conmovedora en la cual Hernán Cortés parecía ser el honrado, como si la conquista del espíritu de Moctezuma fuera un triunfo que la historia la fuera a adjudicar.

Otras veces el bautizo no había sido así, sino en medio de un clima de agitación y de revuelo. Una vez se dijo que Moctezuma asistía a su propio bautizo obligado a cambio de la vida de su hija; otra vez se llegó incluso a decir que el bautizo no había existido, y nos vimos a nosotros mismos ridículos, vestidos para la ocasión, asistiendo a una fiesta que no existía.

Si soy franco diré que las más de las veces no había habido bautizo. Aquella vez de que hablo, él iba a ser enterrado, cuando murió casi embalsamado por las abundantes lágrimas de Cortés, que no podía resistir su muerte. Momentos después nadie querría enterrarlo, como si su cuerpo encerrase una enfermedad contagiosísima, como si tocar o mirar el cadáver transmitiese la muerte. Momentos después lo enterraban en fastuosa ceremonia, cremándolo. Un momento antes, entre los momentos descritos, Moctezuma no moría ese día, sino mucho después.

Entre todos nosotros nos peleábamos por atrapar a tiempo la versión que se sostenía por cierta. Nos peléabamos; oíamos las verdades cruzar zumbando a velocidades impermisibles; todos queríamos estar apropiadamente vestidos para la verdad válida; pero no nos daba tiempo de ataviarnos adecuadamente; zumbaban, iban y venían, era imposible asirlas sin desplomarnos o sin hacerlas desplomarse.

Lo único que deseábamos era conservar la compostura. Era lo único.

Aquella vez que asistimos a su bautizo tal vez por un momento lo conseguimos.

Si caminaban como bólidos iracundos las versiones, reconformando su historia inconsistentemente, los otros y nosotros no cambiábamos. Cada uno tenía fija la mirada con que quería fijarlo. Nadie lloró su muerte como se dijo que la había llorado Cortés. Porque nuestras lágrimas no podían rodar, eran inmóviles, no sabían entrar al tiempo.

Tal vez eran espejos contrarios a la vida de Moctezuma. A él no podía fijarlo en ninguna versión el tiempo, porque nuestras miradas se lo impedían. Todos teníamos prisa por hacerlo nuestro, era nuestro padre, éramos sus muchachitos. Lo sorbíamos con los ojos, arrebatándonoslo los unos a los otros, haciéndolo saltar y resbalarse de una versión de su vida a otra, precipitado.

Moctezuma es entonces capaz de cualquier cosa. Bautizado, danzante, cantante, travestista o loco. Lo que fuera hubiera sido posible.

Pero no lo permitiríamos, no lo que fuera, o no así nada más. Éramos sus niños, en él nuestro destino estaba suspenso. Él no tendría una historia propia sino todas aquellas que necesitáramos imponerle. Lo que no iba a ocurrir es que él se saliera de personaje, que de pronto se volviera un intérprete de sánscrito, por poner un ejemplo. Eso no ocurría.

Él era nuestro.

Addenda

La antropóloga, el historiador, los arqueólogos y el hombre responsable del laboratorio miran el resultado de la prueba: es como si a media noche, en su casa, a solas, oyeran girar el picaporte de la puerta de su recámara y encendieran aterrados la luz de la lámpara gritando "quién es", los cuatro al mismo tiempo, en cuatro casas distintas, cuatro casas habitadas sólo por cuatro individuos, uno por cada casa... El pánico, el terror, como si la puerta, a pesar del *quién es* gritado, siguiera abriéndose, eternamente lenta pero implacable, ya no amenazante sino cierta, definitoria, cruelmente cierta... ¿Qué es lo que puede esperarse en ese instante en que las únicas armas son las sábanas y la funda de la almohada? Un ladrón hubiera tomado el dinero que estaba en la cartera, en el bolso, en el cajón fuera de la recámara, no hubiera llegado a despertar porque hacerlo era buscar la agresión, la violencia...

Los cuatro miraban los resultados de las pruebas: esos objetos, impecables, a la vista "nuevos" al pasar la prueba del carbono para saber su antigüedad, demostraban ser de, aproximadamente, el año 1500..., 1500 después de Cristo. Tal vez, agregó el muchacho del laboratorio, son objetos que pudo ver Hernán Cortés. Aparentemente, en ellos no había huella del tiempo...

Eran, su laboratorio no sabía equivocarse, del año de 1500, y esto no podría ser. No podía ser.

Los objetos seguían frente a ellos, la mancha sobre la cama, el taparrabos tirado en el piso del baño y la manta púrpura junto al lavamanos, y él ya se había ido. De nuevo mostraba la generosidad que lo había caracterizado, enseñando su fuerza y su poder no en tomar sino en dar, no en quitar sino en dejar, porque él no raptó a Laura, él le abrió la puerta del tiempo, rompió para ella la puerta estúpida de su constitución individual dejando irse hacia el cielo, y el mar, hacia las estrellas, las barrancas, las yerbas, las piedras, arena, aire, vacío, calor, sonido, nada...

Persona se disolvió. *Cosa* no se disolvió: cosa necesitó del mundo, como un perro faldero se agarró a quienes las miraban —esto, por las que estaban en el laboratorio— y a las otras cosas —las que estaban en casa de Laura—, como perros falderos se apegaron a las cosas, necesitaron *estar,* se agarraron y resistieron la huida.

Así son siempre las cosas: dependientes, aferradas, los animales domésticos del universo que no pueden subsistir sin casa y comida puestas sin su esfuerzo. Por esto también las cosas, incluso idas, habían respondido en su conformación al paso lógico del tiempo.

Último capítulo

(octavo)

"Sólo donde la idea de persona resplandezca, qué digo resplandezca, ¡enceguezca!, vuelva invisibles el resto de los formatos de la vida, aparece la novela.

"Hay novela cuando el hombre se divorcia de la tierra, el agua, el viento y el fuego. Cuando un hombre se distancia de los otros hombres, cuando no es ya más padre, hijo, hermano, rey o esclavo, señor o molinero, marqués o japonés, dueño o despojado, francés o chileno o de Kenia o culichi, sino la maldición errada de ser *alguien*, a secas. Cuando su vida deja de tener sentido y consigue un sinsentido helado y desolador.

"Si la sangre del individuo corre el viaje estúpido de su corazón a su propio corazón, si ya no tiene con qué raíces saberse parte de aquí o de allá, nace la novela.

"El hombre se entrega, con la novela, a una conciencia aún más atroz que la de ser individuo, en un sitio donde todo y todos se alejan, se van, abandonándolo en un mundo sin mundo, en un mundo vacío de mundo.

"El novelista se entrega a dos viajes radicalmente distintos cuando escribe. En uno, su conciencia y su imaginación lo obligan a alejarse, a irse más allá, donde ni el sentido del sinsentido es posible. Tan lejos que, aunque la noción de persona se acreciente de tal suerte que abombe la tela del universo con su peso insólito, deformándola, la propia vida sea lo mismo que mierda tirada en campo abierto el día de anteayer: algo a punto de secarse y desaparecer, a punto de ser barrido por la lluvia.

"En el otro camino, el escritor entra a la vena del Hombre y él mismo es sangre placentera corriendo con gusto en los pasajes de la historia. Al trabajar con la lengua, con las palabras, el escritor escucha hablar al hombre y sabe que no está solo, que él no es nada solo: se coloca en el territorio donde la novela es imposible.

"Al lector le ocurre, en relación al lenguaje, un fenómeno en sentido inverso: por las palabras del escritor se ve forzado a dejarlo todo, a irse donde la novela es posible. Si consigue hacer vibrar su corazón en la misma nota que vibra el del personaje (o sus hígados, o sus lo que ustedes escojan para nombrar lo que ustedes ya saben que yo quiero nombrar), entonces el lector cae al territorio donde la novela es imposible —no está solo—, sin dejar la conciencia del otro lugar, el que sí tiene que ver con la novela. El helado sitio donde siempre se está solo, sin sentido, enclavado en la punta de su estúpida aislada existencia.

"Y el personaje... Vamos, no me he de engañar. Pongo tres puntos, uno al lado del otro, alineados como el batallón del ejército en el desfile, porque el *personaje* es a lo que yo quería llegar: ¿No puede haber personaje que no se sitúe donde la novela aparece?

"—¡Para qué le pongo interrogaciones! No tengo por qué ser cobarde o engañarme. Sin interrogaciones yo ya sé la respuesta. El personaje tiene que emprender el viaje que la novela exige: debe dejarlo todo, debe ser 'un individuo' hasta la exageración, pero sin sobrepasarla.

"Puede ser una piedra —estúpida o gloriosa— el personaje de una novela, el personaje central. Pero sólo si es una inteligencia alejada de todo ser que se encargue de contar la historia, una inteligencia que impregne de *distancia* (por ponerle un término menos pretencioso que 'individualidad' o 'noción de persona') cuanto narra.

"Si literalmente fuera una piedra y ésta nunca cediera a otro el foco de atención y la piedra fuera piedra y no un alma emparedada en una piedra, al lector ¿qué le pasaría? Se quedaría sin consuelo. No tendría personaje con el cual pudiera hermanarse y, si ese texto fuera realmente una novela y no un poema, el abismo entre el lector y el texto se haría dolorosa, intolerable y dolorosamente insalvable.

"Sería un texto que incitaría al lector al suicidio.

"Un poeta que se suicida no es un poeta: es un novelista que no escribe novelas.

"Todo a cuenta de Moctezuma. Un mexica típico es lo mismo que una piedra en tanto que personaje de novela, con la desventaja de que son detestables y frágiles las novelas con personajes minúsculos para el mundo de la novela, avasallados siempre por la buena intención del novelista, buena e inútil.

"Porque en su cultura el mexica no se ha divorciado del mundo, su sangre es la que riega los sembradíos, su corazón es alimento de aquellos que consiguen que salga el sol y gire el mundo.

"En el caso explícito de Moctezuma, a él le toca presenciar la caída del orden, la irrupción del caos y la inutilidad de los hombres. Con esto sólo encuentro dos peros más para sus facultades en tanto que posible centro de novela: no mueren sus dioses, por lo que en nada se separa del mundo en destrucción, y, segundo pero, él no eligió la batalla, él trató de rehuirla. Era algo que él no quería vivir. Algo que él no deseaba frente a sí y ante lo que se dio por derrotado antes de empezar la batalla porque no pudo ver al enemigo: trataba de conservar fija la vista en aquel ordenado mundo coherente que existió antes de que llegaran los que ojalá nunca hubieran venido. ¿Eso ve? Si él *es* la Gran Tenochtitlan...

"No hay novela en el mexica. No hay novela posible. Habría en su lugar, en el lugar del personaje, una voz solamente, con rumbo fijo, una voz distante que nos aleccionara (a los lectores) sobre los 'sucederes históricos'. Distante, Lejana, Solemne y Aleccionadora. Una Novela Histórica, en la que el personaje que le diera vida fuera El Hombre cruzando El Tiempo. ¡Guaj!

"O si no una voz engolada puesta en las gargantas de los mexicas: como si ellos fueran los personajes y el escritor el actor de la historia imaginada. Voz engolada, engaño, fingimiento, mentira. Otro ¡guaj! de asco.

"La voz que a mí me interesa escuchar en la novela, la voz que es verdad y carne, ésa no aparecería. Porque el mexica no ha roto con el mundo, las cosas (lo que él fabrica) no son vehículo de separación sino ingrediente de reconciliación con los dioses (voces del Mundo) y directamente con el mundo. El mexica no hiere los caminos con la risa helada de la rueda ni tampoco traiciona al Mundo de los dioses, a las cosas, con la palabra escrita. Reconcilia sobre el papel, representa. No violenta sobre el amate, armoniza. Su representación escrita es puente y señalamiento.

"La Novela, esa sucesión de palabras incontables, la suma del divorcio con el mundo a que obliga la palabra escrita, separación y violencia, escoge por sí misma a sus personajes. La Novela ríe de la voluntad del escritor, es Ella quien anda. En este momento preciso, la Novela ríe del intento de hacer entrar en su territorio a aquel que no ha traicionado el Mundo, al que no conoce el desgajamiento de la palabra escrita y expulsa a mi Motecuhzoma al refugio de mi corazón mientras con estas páginas yo le estoy diciendo 'Déjalo entrar, por favor déjalo entrar, yo respondo por él, yo respondo por mi absurdo capricho al incomodarte con su ingreso... déjame', pero Ella niega firmemente con la cabeza, y, mientras, veo a mi Motecuhzoma despertar incómodo y sobresaltado en su letargo, con un malestar corporal insoportable y comprensible, las tripas revueltas, la cabeza pesada, y también siento la violencia atribulada de su espíritu golpeado tratando de salir de un letargo que no está dispuesto a despejarse 'en carne propia', por decirle así. La siento en mí y juro que eso basta para hacer una novela, refugio a mi Motecuhzoma en mi corazón (con dolor, pensando 'dónde demonios voy a refugiarme a mí, cómo voy a tolerar tanta incomodidad') y Novela me fuerza a continuar con la historia, a avanzar por el móvil sinfín de lo que ocurrió en el amanecer de un soleado trece de agosto en el año de mil novecientos ochenta y nueve, Novela me fuerza, y antes de poner aquí los dos puntos que me conducirán a los otros personajes, a los que *son* para una novela, yo le digo 'Pero ya tengo al personaje en las páginas, ya lo tengo aquí, en mi ciudad y en mi libreta, los traje corriendo por los años; te guste o no regresará' y añado, sin darle tiempo de brincar sobre mí para rebatirme o violentarme, las siguientes páginas:"

XIX

... porque el airecillo está aún borracho del puerto, casi no siente que camina en el mar y tarda tiempo en ver y despabilarse. Después, a medio camino, se azora ante el mar. Se queda mudo viendo, y está a punto de perder el equilibrio y de caerse, de hundirse, de ahogarse en los muchos metros de agua que median entre él y la arena cuando se encuentra una araña, flotando en la superficie, no caminando, como va él caminando, sino simplemente ahí, parada, no se sabe si viva o muerta. Se sabe, el narrador lo cuenta, que la araña llegó ahí porque: una mujer quiso seducir a un joven, una mujer intentó seducirlo directamente con el pelo púbico, porque sólo lo quería para eso, para coger, para follar, para usar la cama y el cuerpo en actos sucios e ilícitos o placenteros o siempre amables, según quien los nombre, y trató de seducirlo con el abundante y grande triángulo de oscuro vello que tenía recubriendo sus partes pudendas. Se lo echó encima, literalmente, y el joven, con un movimiento del tronco (o tórax) lo esquivó. El vello púbico fue a dar entonces al mar y en lugar de hundirse, por su carácter de objeto con vida aunque sea objeto muerto, flotó sobre el mar y fue llevado hasta ahí, donde el sol brilla sobre la corteza del mar, resplandeciéndola, brilla y recuerda, con risa, a la mujer aquella que sin su cabello de la parte baja del cuerpo, pelona, no se atreve a mostrarse, como si creyera que aquella oscura maraña, su madeja china y brillante, de bucles pequeños y abundantes, ha perdido todo encanto. Pero ella tiene ahora algo de niña chiquita y tal vez ahora podría, a la orilla del mar, como aquel día intentó, ahora, sin su araña, podría tomar para retozar algún jovencito, algún trozo de carne tierna que vería en esa ausencia de vello un remedo de juventud, o si no, por lo menos, algo que no enseñaría edad, que no diría "carne", que no parecería esa cosa oscura, enmarañada, que es el cuerpo de mujer cuando sobrepasa los cuarenta.

¿Qué más encontró el viento en su camino, sobre el mar? Encontró pocas cosas, entre ellas encontró dos piernas, dos piernas separadas la una de la otra, sin tronco que las gobierne, sin tronco que las ate, tampoco rotas, selladas, cerradas, probablemente huecas (si no, ¿cómo es que flotaban?), dos piernas con sus sendas rodillas, sus sendos pies. El viento se acercó a ellas, las observó flotar sobre un mar que por su dimensión se volvía irritante, un mar que "ya —se dijo a sí mismo el viento— parecía rasparle las rodillas", aunque un viento nunca tenga rodillas; vio sin avanzar a las dos piernas balancéandose. El viento se acercó más a ellas: percibió el olor a ingles en una de las ingles, el olor a pies en uno de los pies; sintió la suavidad de la entrepierna, la fragilidad de las corvas; ahí estaban las venas, las piernas no estaban huecas. ¿Qué hacían ahí, sin tronco, en medio océano perdidas? ¿Qué más encontró el viento, en su camino? ¿Por qué no termino de decir qué ocurría con ese par de piernas sueltas? ¿Por qué no digo que un poco más allá el viento sintió el rozar del plectro, al que las piernas debieran pertenecer, respirando contra el océano, y por allá los dedos separados —aunque juntos—, los dedos desunidos y unidos esperando que el cuerpo que los había perdido apareciera en medio del océano, suspendido, el cuerpo mutilado sin sangre, el cuerpo descuartizado, el cuerpo cuyo plectro se oía sin verse, el cuerpo incompleto...? Porque no he de decirlo, y sí en cambio preguntar ¿qué más encontró el viento en su camino? No encontró embarcación alguna, como si en su camino las rehuyera, y sí encontró otros vientos que no consiguieron disolver su necedad, aun cuando eran más poderosos.

El viento perdió la sensación de ebriedad que lo acompañara, pero no pudo tampoco alcanzar a ver adónde se dirigía, los polvos que cargara no estaban dispuestos a compartir su decisión. El viento sólo sabía que tenía que seguir avanzando, que tenía que ir adelante, que allá iba, quién sabe a dónde, adonde le dictaba el poco polvo que aún cargara en su lomo liso.

De pronto, el viento dejó de sentirse a sí mismo, dejó de percibirse. Arribó a la costa y, reencontrándose consigo mismo, supo el motivo de su viaje y reconoció su carácter inútil.

Él venía buscando a un niño. Se llamaba Fernando y había de encontrarlo en Medellín. Tenía que decirle que él también había de regresar... Pero cuando escuchó sus palabras en voz alta —en voz *voz*, no en voz del viento— el vientecillo se desvaneció en nada, convencido de su inutilidad, espolvoreando el poco polvo que aún llevara consigo y que hizo salir en ese lugar estas palabras:

(noveno)

"¿Por qué se convenció de que era inútil? ¿Qué palabra dijo que lo volvió a la nada? Dijo la palabra Fernando: esa palabra, sepultada desde hace siglos para designar a quien llevó ese nombre antes de que se lo trocasen por Hernán, puesta en el presente lo convenció de que aquel pasado que ella representaba estaba sellado para siempre, permaneciendo encerrado e incomprensible, muerto como pocas veces muere el tiempo, tronchado, perdido aunque al ponderarlo viva en mayor medida que un presente, también inconseguible... Cuando el vientecillo dijo 'Fernando' ¿quién hubiera podido oír que designaba al Conquistador, al Capitán Malinche, a Don Hernando?

"Nadie lo hubiera oído así, en el sentido en que el vientecillo quería decirlo, y, por otra parte, su llamado estaba equivocado, porque era pronunciado en errado lugar: no son sólo los huesos del capitán lo que reposa en México. Fernando fue el primero de todos los mexicanos, como se usa hoy la palabra mexicanos, castellanizando el mexica y arrebatándolo a sus antiguos poseedores. Fue el primer habitante de la nueva nación, el primero de todos nosotros, el fundador de una historia que entre sus raíces tiene una rota que nunca dejaremos de lamentar y de comprender seducidos por ella, una raíz que intentaremos arrasar, seducidos por ella, y que alternadamente negaremos y vocearemos, y abandonaremos, sabiendo que ella nunca nos dejará, que siempre tendremos esa raíz rota, porque no es una elección, es una memoria india imborrable e imposible de evitar, irrecuperable e inalcanzable, el recuerdo de un dominio del mundo que hoy no puede tener imitación, un dominio que ya no está, que ya no se puede practicar, un dominio de otra manera, basado en otro ejercicio del poder del hombre sobre el mundo y en otro hombre, otros dioses, otros afectos, otro lenguaje, y mientras una multitud india la conserva, como fue, idéntica y afuera de su propio tiempo, pervertida y purísima en el marco de una era que no le pertenece, la raíz se torna veneno puro y vitalidad exuberante en todo mexicano, certeza negada y habitada, de esencia irreconciliable, de mestizaje imposible, raíz propia y ajena, propia cuando afuera del territorio de su patria el poseedor la siente estrellarse adentro de las paredes de sus venas buscando desesperadamente la tierra, y ajena en su propio territorio, ajena adentro de la patria que le es propia, como algo invencible que... Pero estábamos con el vientecillo y con que él se desvaneció al convencerse de su inutilidad, en otras tierras, allende el mar. Y en por qué y de qué manera, al pronunciar la palabra Fernando, el chiflón se supo inútil y se desvaneció en el aire como si fuera un imposible. Fernando fue lo que dijo, convencido de que la patria de éste era Medellín y que ahí era donde debía buscarlo. Pero la patria de Hernando estaba en el otro lado de ese mar que tan pocas sorpresas había reservado al vientecillo, que le había permitido cruzarlo como si la distancia no tuviera representación ni en el tiempo ni en los hechos, que lo hizo cruzarlo como si con abrir y cerrar de ojos se pudiera cambiar de continente, como si al poner los ojos en la distancia su propia sustancia estuviera en el punto visto. Hernando fue el primero de los nuestros. El primero de todos los mexicanos. Y si el viento que representa a los dioses que no pudieron encarnar, a las mujeres que no pudieron cruzar el tiempo y al papel con que Motecuzohma fue envuelto para la ceremonia mortuoria se estrelló en nada al ser pronunciado en un territorio equivocado hubiera sido susurrado en Mesoamérica, donde Cortés fundó su patria, si lo hubiera hecho, los dioses y las mujeres y el papel con que lo envolvieron hubieran reaparecido y hubieran encarnado cuando Motecuzohma volvió a surcar los tiempos en los aires de la invisibilidad y la permanencia. Así hubiera sido, y otro nuestro presente, si el vientecillo hubiera reconocido en Hernán al primero de los nuestros, al primero de los mexicanos... Como todos los habitantes del mundo, somos hijos de la comprensión, la gestación y el crimen, en nuestro caso concreto porque Cortés comprendió, escuchó los signos de otra cultura y supo interpretarlos, porque Cortés fecundó en la hija de Motecuhzoma a la nieta del gran Tlatoani, porque Cortés comandó la guerra que rompió para siempre aquel otro tiempo, irrecuperable para siempre, para siempre vivo...”

Última palabra

Regreso un mes después: 13 de octubre, 1989. Otoño llenó de hojas el Parque Hundido. Van a dar las tres de la tarde. Caminan dos señores vestidos de traje por el andadero, un muchacho pasa corriendo en bermudas elásticas, negro brillante con dos bandas verticales rosa-neurasténicas en los ceñidos muslos, dos niños corren por la bajada, vuelven a subir, algunas parejas tiradas indolentemente en los pastos cubiertos de hojas secas ni siquiera intentan acariciarse, miran la tarde, miran el cielo azul-gris, escuchan el sonar de la escoba del jardinero que barre las hojas voraces y el ronroneo lejano de los automóviles... coche, coche me vuelvo a repetir, imitando su tono de voz... Quienes ocuparon esta banca antes que yo la dejaron rodeada de basura: papel plateado de algún chocolate, un sobre de celofán que dice Keikos, envolturas de mentas, pañuelos desechables. Vuelve a pasar el de las bermudas, dando de vueltas a la manzana donde una vez apareció Moctezuma, pasa el chicharronero, los niños le compran una bolsita de torcidos, él tartamudea mientras les despacha. Me ofrece una bolsa a mí, "No gracias", "Se la voy a regalar, señorita", "Gracias", le contesto sólo porque me apena decirle que no. Me levanto por la bolsita, me la da, vuelvo a decir gracias, y me dice, ceremoniosamente "Ándile, señita, ándile". Regreso a mi banca, la misma donde Laura se sentó con él en los brazos, y miro mi triste bolsa de chicharrones y su triste salsa, unos chicharrones tristes, como las hojas caídas en el piso. No sé qué hacer.

Empiezo a llorar.

No sé de qué lloro. Todo fue mentira. Pero no puedo desprenderme de la imagen del hombre recostado cerca de mí, en el pasto del parque, vestido como un Tlatoani antes de la caída de la gran Tenochtitlan, y sin dejar de llorar pienso en la novela que yo hubiera querido escribir sobre este encuentro, la novela que las musas me decidieron imposible.

"De los mejicanos que salieron a proponer la paz volvieron unos mal despachados, y otros se quedaron entre los rebeldes, no sin grande irritación de Motezuma, que deseaba con empeño la reducción de sus vasallos."

Antonio de Solís

Ciudad de México, 1989. San Diego, 1990.

Agradecimientos:

El primero para Fray Bernardino de Sahagún y los indios trilingües, autores con él de la extraordinaria *Historia general de las cosas de Nueva España.*

En desorden:

a Alfredo López Austin y a su generosidad y sabiduría,

a Tzvetan Todorov, *La conquista de América, la cuestión del otro*,

a *Le rêve mexicain ou la pensée interrompue* de Le Clézio,

a Eduardo Matos Moctezuma, que me regaló una confianza en mí misma que no merezco,

a José Luis Martínez,

a la SDSU, que, al invitarme durante un semestre, me permitió las facilidades para corregir y afinar, en especial a Gustavo Segade,

porque junto con ellos escribí este libro.

Fotocomposición: Alba Rojo
Impresión: Editorial Melo, S. A.
Av. Año de Juárez 226-D
09070 México, D. F.
12-X-1992
Edición de 2 000 ejemplares

Biblioteca Era

Jorge Aguilar Mora
La divina pareja. Historia y mito en Octavio Paz
Una muerte sencilla, justa, eterna. Cultura y guerra durante la revolución mexicana
Claribel Alegría
Pueblo de Dios y de Mandinga
Dorelia Barahona
De qué manera te olvido
Roger Bartra
El salvaje en el espejo
José Carlos Becerra
El otoño recorre las islas. Obra poética, 1961/1970
Mario Benedetti
Gracias por el fuego
Fernando Benítez
Los indios de México [5 volúmenes]
Los indios de México. Antología
Los primeros mexicanos
Los demonios en el convento. Sexo y religión en la Nueva España
El libro de los desastres
Historia de un chamán cora
Los hongos alucinantes
1992: ¿Qué celebramos, qué lamentamos?
José Joaquín Blanco
Función de medianoche
Un chavo bien helado
Miguel Bonasso
Recuerdo de la muerte
Carmen Boullosa
Son vacas, somos puercos
Llanto. Novelas imposibles
Luis Cardoza y Aragón
Pintura contemporánea de México
Ojo/voz
Miguel Ángel Asturias
Rosario Castellanos
Los convidados de agosto

Ernesto Che Guevara
Obra revolucionaria
Hugo Hiriart
La destrucción de todas las cosas
David Huerta
Incurable
Efraín Huerta
Transa poética
Bárbara Jacobs
Escrito en el tiempo
Las hojas muertas
Doce cuentos en contra
Noé Jitrik
Limbo
Jan Kott
El manjar de los dioses
José Lezama Lima
Paradiso
Oppiano Licario
Muerte de Narciso. Antología poética
Malcolm Lowry
Bajo el volcán
Por el canal de Panamá
Georg Lukács
Significación actual del realismo crítico
Héctor Manjarrez
No todos los hombres son románticos
Canciones para los que se han separado
Pasaban en silencio nuestros dioses
El camino de los sentimientos
Daniel Martínez
La noche del 25
Miguel Méndez
Peregrinos de Aztlán
Que no mueran los sueños
Carlos Monsiváis
Días de guardar
Amor perdido
A ustedes les consta. Antología de la crónica en México
Entrada libre. Crónicas de la sociedad que se organiza

Carlos Chimal

Cinco del águila

Gilles Deleuze y Félix Guattari

Kafka. Por una literatura menor

Isaac Deutscher

Stalin. Biografía política

Trotsky. El profeta armado

Trotsky. El profeta desarmado

Trotsky. El profeta desterrado

Mircea Eliade

Tratado de historia de la religiones

Carlos Fuentes

Aura

Una familia lejana

Los días enmascarados

Eduardo Galeano

Días y noches de amor y de guerra

Gabriel García Márquez

El coronel no tiene quien le escriba

La mala hora

Juan García Ponce

La noche

Emilio García Riera

México visto por el cine extranjero

Tomo I: 1894-1940 / Tomo II: 1906-1940 filmografía

Tomo III: 1941-1969 / Tomo IV: 1941/1969 filmografía

Tomo V: 1970-1988 / Tomo VI: 1970-1988 filmografía

Jaime García Terrés

Poesía y alquimia. Los tres mundos de Gilberto Owen

El teatro de los acontecimientos

Francesca Gargallo

Calla mi amor que vivo

José Luis González

La galería

El oído de Dios

Luis González de Alba

Los días y los años

Georg Groddeck

El escrutador de almas. Novela psicoanalítica

Augusto Monterroso
La palabra mágica
La letra e
Viaje al centro de la fábula
La Oveja negra y demás fábulas
Obras completas (y otros cuentos)
Movimiento perpetuo
Lo demás es silencio
Esa fauna (dibujos)
Charles Olson
Llámenme Ismael. Un estudio de Melville
José Clemente Orozco
Autobiografía
Cartas a Margarita
José Emilio Pacheco
Los elementos de la noche
El reposo del fuego
No me preguntes cómo pasa el tiempo
Irás y no volverás
Islas a la deriva
Desde entonces
Los trabajos del mar
Miro la tierra
Ciudad de la memoria
El viento distante
Las batallas en el desierto
La sangre de Medusa
Octavio Paz
Apariencia desnuda (La obra de Marcel Duchamp)
La hija de Rappaccini
Senel Paz
El lobo, el bosque y el hombre nuevo
Sergio Pitol
El desfile del amor
Domar a la divina garza
Vals de Mefisto
Juegos florales
Cuerpo presente
La vida conyugal

Elena Poniatowska

Lilus Kikus

Hasta no verte Jesús mío

Querido Diego, te abraza Quiela

De noche vienes

La "Flor de Lis"

La noche de Tlatelolco

Fuerte es el silencio

Nada, nadie. Las voces del temblor

Tinísima

Agustín Ramos

Al cielo por asalto

Silvestre Revueltas

Silvestre Revueltas por él mismo

Maxime Rodinson

Mahoma

José Rodríguez Feo

Mi correspondencia con Lezama Lima

Vicente Rojo

Cuarenta años de diseño gráfico

Robert A. Rosenstone

John Reed. Un revolucionario romántico

Juan Rulfo

Antología personal

El gallo de oro. Y otros textos para cine

Adolfo Sánchez Vázquez

Las ideas estéticas de Marx

Francisco Toledo

Lo que el viento a Juárez

Paloma Villegas

Mapas

Paul Westheim

Arte antiguo de México

Ideas fundamentales del arte prehispánico en México

Obras maestras del México antiguo

Escultura y cerámica del México antiguo

Wiktor Woroszylski

Vida de Mayakovsky

El oficio de escritor [Entrevistas con grandes autores]